Jean Racine

Andromaque

Dossier réalisé par
Aurélie Barre
et **Olivier Leplâtre**

Lecture d'image par
Valérie Lagier

Aurélie Barre est certifiée de lettres modernes. Enseignante allocataire de recherche à l'université Jean-Moulin, à Lyon, elle prépare une thèse en littérature médiévale sur le *Roman de Renart*, œuvre dont elle a fait la lecture accompagnée dans « La bibliothèque Gallimard ».

Olivier Leplâtre est agrégé de lettres modernes. Maître de conférences en XVIIe et XVIIIe siècles à l'université Jean-Moulin, à Lyon, il vient de publier un essai sur Jean de La Fontaine (*Pouvoir et parole dans les « Fables »*) et le commentaire des *Aventures de Télémaque* de Fénelon dans « La bibliothèque Gallimard ».

Conservateur au musée de Grenoble puis au musée des Beaux-Arts de Rennes, **Valérie Lagier** a organisé de nombreuses expositions d'art moderne et contemporain. Elle a créé, à Rennes, un service éducatif très innovant, et assuré de nombreuses formations d'histoire de l'art pour les enseignants et les étudiants. Elle est l'auteur de plusieurs publications scientifiques et pédagogiques. Elle est actuellement conservateur des musées de Vitré.

Sommaire

Sommaire

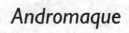

Andromaque

À Madame[1]

MADAME,

Ce n'est pas sans sujet que je mets votre illustre nom à la tête de cet ouvrage. Et de quel autre nom pourrais-je éblouir les yeux de mes lecteurs, que de celui dont mes spectateurs ont été si heureusement éblouis ? On savait que VOTRE ALTESSE ROYALE avait daigné prendre soin de la conduite de ma tragédie ; on savait que vous m'aviez prêté quelques-unes de vos lumières pour y ajouter de nouveaux ornements ; on savait enfin que vous l'aviez honorée de quelques larmes dès la première lecture que je vous en fis. Pardonnez-moi, MADAME, si j'ose me vanter de cet heureux commencement de sa destinée. Il me console bien glorieusement de la dureté de ceux qui ne voudraient pas s'en laisser toucher. Je leur permets de condamner l'*Andromaque* tant qu'ils voudront, pourvu qu'il me soit permis d'appeler de toutes les subtilités de leur esprit au cœur de VOTRE ALTESSE ROYALE.

Mais, MADAME, ce n'est pas seulement du cœur que vous jugez de la bonté[2] d'un ouvrage, c'est avec une intelligence qu'aucune fausse lueur ne saurait tromper. Pouvons-nous mettre sur la scène une histoire que vous

---

1. Henriette d'Angleterre, épouse de Monsieur, frère du roi, Philippe d'Orléans.
2. Bonne qualité.

ne possédiez[1] aussi bien que nous ? Pouvons-nous faire jouer une intrigue dont vous ne pénétriez tous les ressorts ? Et pouvons-nous concevoir des sentiments si nobles et si délicats qui ne soient infiniment au-dessous de la noblesse et de la délicatesse de vos pensées ?

On sait, MADAME, et VOTRE ALTESSE ROYALE a beau s'en cacher, que, dans ce haut degré de gloire où la Nature et la Fortune ont pris plaisir de vous élever, vous ne dédaignez pas cette gloire obscure que les gens de lettres s'étaient réservée. Et il semble que vous ayez voulu avoir autant d'avantage sur notre sexe, par les connaissances et par la solidité de votre esprit, que vous excellez dans le vôtre par toutes les grâces qui vous environnent. La cour vous regarde comme l'arbitre de tout ce qui se fait d'agréable. Et nous qui travaillons pour plaire au public, nous n'avons plus que faire[2] de demander aux savants si nous travaillons selon les règles. La règle souveraine est de plaire à VOTRE ALTESSE ROYALE.

Voilà sans doute le moindre de vos excellentes qualités. Mais, MADAME, c'est la seule dont j'ai pu parler avec quelque connaissance ; les autres sont trop élevées au-dessus de moi. Je n'en puis parler sans les rabaisser par la faiblesse de mes pensées, et sans sortir de la profonde vénération avec laquelle je suis,

 MADAME,
  DE VOTRE ALTESSE ROYALE,

Le très humble, très obéissant,
et très fidèle serviteur,
RACINE.

---

1. Que vous ne connaissiez.
2. Nous ne nous préoccupons plus.

Première préface[1]

Virgile au troisième livre de l'*Énéide* (c'est Énée qui parle) :

Littoraque Epiri legimus, portuque subimus
Chaonio, et celsam Buthroti ascendimus urbem [...]
Solemnes tum forte dapes et tristia dona [...]
Libabat cineri Andromache, Manesque vocabat
Hectoreum ad tumulum, viridi quem cespite inanem,
Et geminas, causam lacrymis, sacraverat aras [...]
Dejecit vultum, et demissa voce locuta est :
O felix una ante alias Priameia virgo,
Hostilem ad tumulum, Trojœ sub mœnibus altis,
Jussa mori, quœ sortitus non pertulit ullos,
Nec victoris heri tetigit captiva cubile !
Nos, patria incensa, diversa per œquora vectœ,
Stirpis Achilleœ fastus, juvenemque superbum,
Servitio enixœ, tulimus, qui deinde secutus
Ledœam Hermionem, Lacedœmoniosque hymenœos [...]
Ast illum, ereptœ magno inflammatus amore
Conjugis, et scelerum Furiis agitatus, Orestes
Excipit incautum, patriasque obtruncat ad aras.

---

1. Racine écrit cette préface en 1668 pour répondre aux critiques formulées contre *Andromaque*.

[Nous longeons les côtes de l'Épire, nous entrons dans le port des Chaones et nous dirigeons vers la haute ville de Buthrote. [...] Il y avait, ce jour, cérémonie solennelle, offrande aux morts [...] Andromaque pour leurs cendres versait la libation, elle appelait les Mânes près d'un tombeau d'Hector. Vide, hélas ! elle l'avait saintement paré de gazon vert, avec deux autels où retrouver ses larmes. [...] Elle baissa le visage et murmura d'une voix désolée : « Ô seule heureuse avant toutes, la vierge Priamide qui reçut l'ordre de mourir sur le tombeau d'un ennemi devant les hauts murs de Troie, qui n'a pas subi le tirage au sort ni touché en captive le lit d'un vainqueur son maître ! Nous, des cendres de notre patrie traînée sur des mers lointaines, nous avons enduré les dédains du rejeton d'Achille et son insolente jeunesse, nous avons enfanté dans la servitude. Puis, lorsqu'il a suivi la petite-fille de Léda, Hermione, un hyménée lacédémonien [...] Mais follement enflammé par l'amour de l'épouse qui lui était ravie, poursuivi par les furies de ses crimes, Oreste le surprend à l'improviste et le tue devant les autels de ses pères. »
Traduction de J. Perret, les Belles Lettres, 1977.]

Voilà, en peu de vers, tout le sujet de cette tragédie. Voilà le lieu de la scène, l'action qui s'y passe, les quatre principaux acteurs, et même leurs caractères. Excepté celui d'Hermione dont la jalousie et les emportements sont assez marqués dans l'*Andromaque* d'Euripide.

Mais véritablement mes personnages sont si fameux dans l'Antiquité, que, pour peu qu'on la connaisse, on verra fort bien que je les ai rendus tels que les anciens poètes nous les ont donnés. Aussi n'ai-je pas pensé qu'il me fût permis de rien changer à leurs mœurs. Toute la liberté que j'ai prise, ç'a été d'adoucir un peu la férocité de Pyrrhus, que Sénèque, dans sa *Troade*, et Virgile, dans le second de l'*Énéide*, ont poussée beaucoup plus loin que je n'ai cru le devoir faire.

Encore s'est-il trouvé des gens qui se sont plaints qu'il s'emportât contre Andromaque, et qu'il voulût épouser une captive à quelque prix que ce fût. J'avoue qu'il n'est pas assez résigné à la volonté de sa maîtresse, et que Céladon[1] a mieux connu que lui le parfait amour. Mais que faire ? Pyrrhus n'avait pas lu nos romans. Il était violent de son naturel. Et tous les héros ne sont pas faits pour être des Céladons.

Quoi qu'il en soit, le public m'a été trop favorable pour m'embarrasser du chagrin particulier de deux ou trois personnes qui voudraient qu'on réformât tous les héros de l'Antiquité pour en faire des héros parfaits. Je trouve leur intention fort bonne de vouloir qu'on ne mette sur la scène que des hommes impeccables[2]. Mais je les prie de se souvenir que ce n'est point à moi de changer les règles du théâtre. Horace nous recommande de dépeindre Achille farouche, inexorable, violent, tel qu'il était, et tel qu'on dépeint son fils. Et Aristote, bien éloigné de nous demander des héros parfaits, veut au contraire que les personnages tragiques, c'est-à-dire ceux dont le malheur fait la catastrophe de la tragédie, ne soient ni tout à fait bons ni tout à fait méchants. Il ne veut pas qu'ils soient extrêmement bons, parce que la punition d'un homme de bien exciterait plutôt l'indignation que la pitié du spectateur ; ni qu'ils soient méchants avec excès, parce qu'on n'a point pitié d'un scélérat. Il faut donc qu'ils aient une bonté médiocre[3], c'est-à-dire une vertu capable de faiblesse, et qu'ils tombent dans le malheur par quelque faute, qui les fasse plaindre sans les faire détester.

1668

---

1. Héros de *L'Astrée*, roman précieux d'Honoré d'Urfé (1567-1625). Il est le modèle parfait de l'amant galant.
2. Qui ne commettent pas de faute.
3. Moyenne (sans valeur péjorative).

Seconde préface[1]

Virgile au troisième livre de l'*Énéide* (c'est Énée qui parle) :

Littoraque Epiri legimus, portuque subimus
Chaonio, et celsam Buthroti ascendimus urbem [...]
Solemnes tum forte dapes et tristia dona [...]
Libabat cineri Andromache, Manesque vocabat
Hectoreum ad tumulum, viridi quem cespite inanem,
Et geminas, causam lacrymis, sacraverat aras [...]
Dejecit vultum, et demissa voce locuta est :
O felix una ante alias Priameia virgo,
Hostilem ad tumulum, Trojæ sub mœnibus altis,
Jussa mori, quæ sortitus non pertulit ullos,
Nec victoris heri tetigit captiva cubile !
Nos, patria incensa, diversa per œquora vectæ,
Stirpis Achilleœ fastus, juvenemque superbum,
Servitio enixæ, tulimus, qui deinde secutus
Ledœam Hermionem, Lacedœmoniosque hymenœos [...]
Ast illum, ereptœ magno inflammatus amore
Conjugis, et scelerum Furiis agitatus, Orestes
Excipit incautum, patriasque obtruncat ad aras.

---

1. Écrite en 1676, cette préface remplace la précédente.

Voilà, en peu de vers, tout le sujet de cette tragédie, voilà le lieu de la scène, l'action qui s'y passe, les quatre principaux acteurs, et même leurs caractères. Excepté celui d'Hermione dont la jalousie et les emportements sont assez marqués dans l'*Andromaque* d'Euripide.

C'est presque la seule chose que j'emprunte ici de cet auteur. Car, quoique ma tragédie porte le même nom que la sienne, le sujet en est cependant très différent. Andromaque, dans Euripide, craint pour la vie de Molossus, qui est un fils qu'elle a eu de Pyrrhus et qu'Hermione veut faire mourir avec sa mère. Mais ici il ne s'agit point de Molossus : Andromaque ne connaît point d'autre mari qu'Hector, ni d'autre fils qu'Astyanax. J'ai cru en cela me conformer à l'idée que nous avons maintenant de cette princesse. La plupart de ceux qui ont entendu parler d'Andromaque ne la connaissaient guère que pour la veuve d'Hector et pour la mère d'Astyanax. On ne croit point qu'elle doive aimer ni un autre mari, ni un autre fils ; et je doute que les larmes d'Andromaque eussent fait sur l'esprit de mes spectateurs l'impression qu'elles y ont faite, si elles avaient coulé pour un autre fils que celui qu'elle avait d'Hector.

Il est vrai que j'ai été obligé de faire vivre Astyanax un peu plus qu'il n'a vécu ; mais j'écris dans un pays où cette liberté ne pouvait pas être mal reçue. Car, sans parler de Ronsard, qui a choisi ce même Astyanax pour le héros de sa *Franciade*, qui ne sait que l'on fait descendre nos anciens rois de ce fils d'Hector, et que nos vieilles chroniques sauvent la vie à ce jeune prince, après la désolation de son pays, pour en faire le fondateur de notre monarchie ?

Combien Euripide a-t-il été plus hardi dans sa tragédie d'*Hélène* ! il y choque ouvertement la créance[1] commune de

---

1. Croyance.

toute la Grèce : il suppose qu'Hélène n'a jamais mis le pied
dans Troie, et qu'après l'embrasement de cette ville, Ménélas trouve sa femme en Égypte, dont elle n'était point partie ; tout cela fondé sur une opinion qui n'était reçue que
parmi les Égyptiens, comme on le peut voir dans Hérodote.

Je ne crois pas que j'eusse besoin de cet exemple d'Euripide pour justifier le peu de liberté que j'ai prise. Car il y
a bien de la différence entre détruire le principal fondement d'une fable et en altérer quelques incidents, qui chan-
gent presque de face dans toutes les mains qui les traitent.
Ainsi Achille, selon la plupart des poètes, ne peut être
blessé qu'au talon, quoique Homère le fasse blesser au bras,
et ne le croie invulnérable en aucune partie de son corps.
Ainsi Sophocle fait mourir Jocaste aussitôt après la recon-
naissance d'Œdipe, tout au contraire d'Euripide qui la fait
vivre jusqu'au combat et à la mort de ses deux fils. Et c'est
à propos de quelque contrariété[1] de cette nature qu'un
ancien commentateur de Sophocle remarque fort bien
qu'« il ne faut point s'amuser à chicaner les poètes pour
quelques changements qu'ils ont pu faire dans la fable ;
mais qu'il faut s'attacher à considérer l'excellent usage
qu'ils ont fait de ces changements, et la manière ingénieuse
dont ils ont su accommoder la fable à leur sujet ».

1676

---

1. Contradiction.

ACTEURS

ANDROMAQUE, *veuve d'Hector, captive de Pyrrhus.*
PYRRHUS, *fils d'Achille, roi d'Épire.*
ORESTE, *fils d'Agamemnon.*
HERMIONE, *fille d'Hélène, accordée[1] avec Pyrrhus.*
PYLADE, *ami d'Oreste.*
CLÉONE, *confidente d'Hermione.*
CÉPHISE, *confidente d'Andromaque.*
PHŒNIX, *gouverneur d'Achille, et ensuite de Pyrrhus.*
SUITE D'ORESTE.

> *La scène est à Buthrote, ville d'Épire,*
> *dans une salle du palais de Pyrrhus.*

---

1. Fiancée.

Acte I

Scène I

ORESTE, PYLADE

ORESTE

Oui, puisque je retrouve un ami si fidèle,
Ma fortune va prendre une face nouvelle ;
Et déjà son courroux semble s'être adouci
Depuis qu'elle a pris soin de nous rejoindre[1] ici.
5 Qui l'eût dit, qu'un rivage à mes vœux si funeste
Présenterait d'abord[2] Pylade aux yeux d'Oreste ?
Qu'après plus de six mois que je t'avais perdu,
À la cour de Pyrrhus tu me serais rendu ?

PYLADE

J'en rends grâces au ciel qui, m'arrêtant sans cesse,
10 Semblait m'avoir fermé le chemin de la Grèce,
Depuis le jour fatal que la fureur des eaux
Presque aux yeux de l'Épire écarta nos vaisseaux.
Combien, dans cet exil, ai-je souffert d'alarmes !

---

1. Réunir.
2. Dès mon arrivée.

Combien à vos malheurs ai-je donné de larmes,
15 Craignant toujours pour vous quelque nouveau danger
Que ma triste amitié ne pouvait partager !
Surtout je redoutais cette mélancolie[1]
Où j'ai vu si longtemps votre âme ensevelie.
Je craignais que le Ciel, par un cruel secours,
20 Ne vous offrît la mort que vous cherchiez toujours.
Mais je vous vois, Seigneur ; et si j'ose le dire,
Un destin plus heureux vous conduit en Épire :
Le pompeux appareil[2] qui suit ici vos pas
N'est point d'un malheureux qui cherche le trépas.

ORESTE

25 Hélas ! qui peut savoir le destin qui m'amène ?
L'amour me fait ici chercher une inhumaine.
Mais qui sait ce qu'il doit ordonner de mon sort,
Et si je viens chercher ou la vie ou la mort ?

PYLADE

Quoi ? votre âme à l'amour en esclave asservie
30 Se repose sur lui du soin de votre vie ?
Par quel charme[3], oubliant tant de tourments soufferts,
Pouvez-vous consentir à rentrer dans ses fers[4] ?
Pensez-vous qu'Hermione, à Sparte inexorable[5],
Vous prépare en Épire un sort plus favorable ?
35 Honteux d'avoir poussé[6] tant de vœux superflus,

---

1. État de tristesse extrême qui peut aller jusqu'à la folie
(tempérament expliqué selon la médecine de l'époque par l'influence, comme le dit l'étymologie du mot, de la bile noire).
2. Expression qui désigne le cortège solennel et somptueux
d'Oreste.
3. Envoûtement.
4. Image du lien amoureux.
5. Insensible, inaccessible.
6. Exprimé avec flamme.

Vous l'abhorriez ; enfin vous ne m'en parliez plus.
Vous me trompiez, Seigneur.

ORESTE

                                        Je me trompais moi-même !
Ami, n'accable point un malheureux qui t'aime.
T'ai-je jamais caché mon cœur et mes désirs ?
40 Tu vis naître ma flamme et mes premiers soupirs.
Enfin, quand Ménélas disposa de sa fille
En faveur de Pyrrhus, vengeur de sa famille,
Tu vis mon désespoir ; et tu m'as vu depuis
Traîner de mers en mers ma chaîne et mes ennuis[1].
45 Je te vis à regret, en cet état funeste,
Prêt à suivre partout le déplorable[2] Oreste,
Toujours de ma fureur interrompre le cours,
Et de moi-même enfin me sauver tous les jours.
Mais quand je me souvins que parmi tant d'alarmes
50 Hermione à Pyrrhus prodiguait tous ses charmes,
Tu sais de quel courroux mon cœur alors épris
Voulut en l'oubliant punir tous ses mépris.
Je fis croire et je crus ma victoire certaine ;
Je pris tous mes transports pour des transports de haine.
55 Détestant ses rigueurs, rabaissant ses attraits,
Je défiais ses yeux de me troubler jamais.
Voilà comme je crus étouffer ma tendresse.
En ce calme trompeur j'arrivai dans la Grèce,
Et je trouvai d'abord ses princes rassemblés,
60 Qu'un péril assez grand semblait avoir troublés.
J'y courus. Je pensai que la guerre et la gloire
De soins[3] plus importants rempliraient ma mémoire ;

---

1. Sens fort de tourments (voir aussi vers 376, 427).
2. Digne de pitié.
3. Soucis, préoccupations (voir aussi vers 195, 244).

Que mes sens reprenant leur première vigueur,
L'amour achèverait de sortir de mon cœur.
65 Mais admire[1] avec moi le sort dont la poursuite[2]
Me fit courir alors au piège que j'évite.
J'entends de tous côtés qu'on menace Pyrrhus ;
Toute la Grèce éclate en murmures confus ;
On se plaint qu'oubliant son sang[3] et sa promesse
70 Il élève en sa cour l'ennemi de la Grèce,
Astyanax, d'Hector jeune et malheureux fils,
Reste[4] de tant de rois sous Troie ensevelis.
J'apprends que pour ravir son enfance au supplice
Andromaque trompa l'ingénieux Ulysse,
75 Tandis qu'un autre enfant, arraché de ses bras,
Sous le nom de son fils fut conduit au trépas.
On dit que peu sensible aux charmes d'Hermione
Mon rival porte ailleurs son cœur et sa couronne.
Ménélas, sans le croire, en paraît affligé,
80 Et se plaint d'un hymen[5] si longtemps négligé.
Parmi les déplaisirs où son âme se noie,
Il s'élève en la mienne une secrète joie :
Je triomphe ; et pourtant je me flatte[6] d'abord
Que la seule vengeance excite ce transport.
85 Mais l'ingrate en mon cœur reprit bientôt sa place :
De mes feux mal éteints je reconnus la trace ;
Je sentis que ma haine allait finir son cours,
Ou plutôt je sentis que je l'aimais toujours.
Ainsi de tous les Grecs je brigue le suffrage.
90 On m'envoie à Pyrrhus ; j'entreprends ce voyage,

---

1. Mais considère avec étonnement.
2. Acharnement.
3. Sa famille.
4. Descendant.
5. Mariage (voir aussi vers 667, 1371).
6. Je me persuade.

Je viens voir si l'on peut arracher de ses bras
Cet enfant dont la vie alarme tant d'États.
Heureux si je pouvais, dans l'ardeur qui me presse,
Au lieu d'Astyanax, lui ravir ma princesse !
95 Car enfin n'attends pas que mes feux redoublés
Des périls les plus grands puissent être troublés.
Puisque après tant d'efforts ma résistance est vaine,
Je me livre en aveugle au destin qui m'entraîne.
J'aime : je viens chercher Hermione en ces lieux,
100 La fléchir, l'enlever, ou mourir à ses yeux.
Toi qui connais Pyrrhus, que penses-tu qu'il fasse ?
Dans sa cour, dans son cœur, dis-moi ce qui se passe.
Mon Hermione encor le tient-elle asservi ?
Me rendra-t-il, Pylade, un bien qu'il m'a ravi ?

PYLADE

105 Je vous abuserais si j'osais vous promettre
Qu'entre vos mains, Seigneur, il voulût la remettre.
Non que de sa conquête il paraisse flatté ;
Pour la veuve d'Hector ses feux ont éclaté ;
Il l'aime. Mais enfin cette veuve inhumaine
110 N'a payé jusqu'ici son amour que de haine ;
Et chaque jour encore on lui voit tout tenter
Pour fléchir sa captive, ou pour l'épouvanter.
De son fils qu'il lui cache il menace la tête[1],
Et fait couler des pleurs qu'aussitôt il arrête.
115 Hermione elle-même a vu plus de cent fois
Cet amant irrité revenir sous ses lois,
Et de ses vœux troublés lui rapportant l'hommage,
Soupirer à ses pieds moins d'amour que de rage.
Ainsi n'attendez pas que l'on puisse aujourd'hui

---

1. La vie.

120 Vous répondre[1] d'un cœur si peu maître de lui :
Il peut, Seigneur, il peut, dans ce désordre extrême,
Épouser ce qu'il hait, et punir ce qu'il aime.

ORESTE

Mais dis-moi de quel œil Hermione peut voir
Son hymen différé, ses charmes sans pouvoir.

PYLADE

125 Hermione, Seigneur, au moins en apparence,
Semble de son amant dédaigner l'inconstance,
Et croit que trop heureux de fléchir sa rigueur
Il la viendra presser de reprendre son cœur.
Mais je l'ai vue enfin me confier ses larmes ;
130 Elle pleure en secret le mépris de ses charmes.
Toujours prête à partir, et demeurant toujours,
Quelquefois elle appelle Oreste à son secours.

ORESTE

Ah ! si je le croyais, j'irais bientôt, Pylade,
Me jeter...

PYLADE

Achevez, Seigneur, votre ambassade.
135 Vous attendez le roi : parlez, et lui montrez
Contre le fils d'Hector tous les Grecs conjurés.
Loin de leur accorder ce fils de sa maîtresse,
Leur haine ne fera qu'irriter sa tendresse.
Plus on les veut brouiller, plus on va les unir.
140 Pressez[2], demandez tout, pour ne rien obtenir.
Il vient.

---

1. Vous assurer.
2. Montrez-vous pressant.

ORESTE

Eh bien ! va donc disposer la cruelle
À revoir un amant qui ne vient que pour elle.

Scène 2

PYRRHUS, ORESTE, PHŒNIX

ORESTE

Avant que tous les Grecs vous parlent par ma voix,
Souffrez que j'ose ici me flatter de leur choix,
145 Et qu'à vos yeux, Seigneur, je montre quelque joie
De voir le fils d'Achille et le vainqueur de Troie.
Oui, comme ses exploits nous admirons vos coups[1] :
Hector tomba sous lui, Troie expira sous vous ;
Et vous avez montré, par une heureuse audace,
150 Que le fils seul d'Achille a pu remplir sa place.
Mais, ce qu'il n'eût point fait, la Grèce avec douleur
Vous voit du sang troyen relever le malheur[2],
Et vous laissant toucher d'une pitié funeste,
D'une guerre si longue entretenir le reste.
155 Ne vous souvient-il plus, Seigneur, quel fut Hector ?
Nos peuples affaiblis s'en souviennent encor.
Son nom seul fait frémir nos veuves et nos filles,
Et dans toute la Grèce il n'est point de familles
Qui ne demandent compte à ce malheureux fils
160 D'un père ou d'un époux qu'Hector leur a ravis.
Et qui sait ce qu'un jour ce fils peut entreprendre ?
Peut-être dans nos ports nous le verrons descendre,

---

1. Exploits.
2. Restaurer, rétablir la force.

Tel qu'on a vu son père embraser nos vaisseaux,
Et, la flamme à la main, les suivre sur les eaux.
165 Oserai-je, Seigneur, dire ce que je pense ?
Vous-même de vos soins craignez la récompense[1],
Et que dans votre sein ce serpent élevé
Ne vous punisse un jour de l'avoir conservé.
Enfin de tous les Grecs satisfaites l'envie,
170 Assurez leur vengeance, assurez votre vie ;
Perdez un ennemi d'autant plus dangereux
Qu'il s'essaiera sur vous à combattre contre eux.

PYRRHUS

La Grèce en ma faveur est trop inquiétée[2].
De soins plus importants je l'ai crue agitée,
175 Seigneur, et sur le nom de son ambassadeur,
J'avais dans ses projets conçu plus de grandeur.
Qui croirait en effet qu'une telle entreprise
Du fils d'Agamemnon méritât l'entremise ;
Qu'un peuple tout entier, tant de fois triomphant,
180 N'eût daigné conspirer que la mort d'un enfant ?
Mais à qui prétend-on que je le sacrifie ?
La Grèce a-t-elle encor quelque droit sur sa vie ?
Et seul de tous les Grecs ne m'est-il pas permis
D'ordonner[3] d'un captif que le sort m'a soumis ?
185 Oui, Seigneur, lorsqu'au pied des murs fumants de Troie
Les vainqueurs tout sanglants partagèrent leur proie,
Le sort, dont les arrêts[4] furent alors suivis,
Fit tomber en mes mains Andromaque et son fils.
Hécube près d'Ulysse acheva sa misère ;
190 Cassandre dans Argos a suivi votre père ;

1. Ce que vous en recevrez en bien ou en mal.
2. Tourmentée (voir aussi vers 719, 1606).
3. De disposer de.
4. Décisions (voir aussi vers 1407).

Sur eux, sur leurs captifs, ai-je étendu mes droits ?
Ai-je enfin disposé du fruit de leurs exploits ?
On craint qu'avec Hector Troie un jour ne renaisse ;
Son fils peut me ravir le jour que je lui laisse :
195 Seigneur, tant de prudence entraîne trop de soin ;
Je ne sais point prévoir les malheurs de si loin.
Je songe quelle était autrefois cette ville
Si superbe en remparts, en héros si fertile,
Maîtresse de l'Asie ; et je regarde enfin
200 Quel fut le sort de Troie, et quel est son destin.
Je ne vois que des tours que la cendre a couvertes,
Un fleuve teint de sang, des campagnes désertes,
Un enfant dans les fers ; et je ne puis songer
Que Troie en cet état aspire à se venger.
205 Ah ! si du fils d'Hector la perte était jurée,
Pourquoi d'un an entier l'avons-nous différée ?
Dans le sein de Priam n'a-t-on pu l'immoler ?
Sous tant de morts, sous Troie, il fallait l'accabler.
Tout était juste alors : la vieillesse et l'enfance
210 En vain sur leur faiblesse appuyaient leur défense ;
La victoire et la nuit, plus cruelles que nous,
Nous excitaient au meurtre, et confondaient nos coups.
Mon courroux aux vaincus ne fut que trop sévère.
Mais que ma cruauté survive à ma colère ?
215 Que malgré la pitié dont je me sens saisir,
Dans le sang d'un enfant je me baigne à loisir ?
Non, Seigneur : que les Grecs cherchent quelque autre
    proie ;
Qu'ils poursuivent ailleurs ce qui reste de Troie :
De mes inimitiés le cours est achevé ;
220 L'Épire sauvera ce que Troie a sauvé.

ORESTE

Seigneur, vous savez trop avec quel artifice
Un faux Astyanax fut offert au supplice

Où le seul fils d'Hector devait être conduit.
Ce n'est pas les Troyens, c'est Hector qu'on poursuit.
225 Oui, les Grecs sur le fils persécutent le père ;
Il a par trop de sang acheté[1] leur colère,
Ce n'est que dans le sien qu'elle peut expirer,
Et jusque dans l'Épire il les peut attirer.
Prévenez-les[2].

PYRRHUS

Non, non. J'y consens avec joie !
230 Qu'ils cherchent dans l'Épire une seconde Troie ;
Qu'ils confondent[3] leur haine, et ne distinguent plus
Le sang qui les fit vaincre et celui des vaincus.
Aussi bien ce n'est pas la première injustice
Dont la Grèce d'Achille a payé le service.
235 Hector en profita, Seigneur ; et quelque jour
Son fils en pourrait bien profiter à son tour.

ORESTE

Ainsi la Grèce en vous trouve un enfant rebelle ?

PYRRHUS

Et je n'ai donc vaincu que pour dépendre d'elle ?

ORESTE

Hermione, Seigneur, arrêtera vos coups :
240 Ses yeux s'opposeront entre son père et vous.

PYRRHUS

Hermione, Seigneur, peut m'être toujours chère,
Je puis l'aimer, sans être esclave de son père ;

---

1. Mérité.
2. Devancez-les (voir aussi vers 281, 411, 1061, 1201).
3. Mêlent.

Et je saurai peut-être accorder quelque jour
Les soins de ma grandeur et ceux de mon amour.
245 Vous pouvez cependant voir la fille d'Hélène :
Du sang qui vous unit je sais l'étroite chaîne.
Après cela, Seigneur, je ne vous retiens plus,
Et vous pourrez aux Grecs annoncer mon refus.

Scène 3

PYRRHUS, PHŒNIX

PHŒNIX

Ainsi vous l'envoyez aux pieds de sa maîtresse ?

PYRRHUS

250 On dit qu'il a longtemps brûlé pour la princesse.

PHŒNIX

Mais si ce feu, Seigneur, vient à se rallumer ?
S'il lui rendait son cœur, s'il s'en faisait aimer ?

PYRRHUS

Ah ! qu'ils s'aiment, Phœnix ! J'y consens. Qu'elle parte.
Que charmés l'un de l'autre ils retournent à Sparte !
255 Tous nos ports sont ouverts et pour elle et pour lui.
Qu'elle m'épargnerait de contrainte et d'ennui !

PHŒNIX

Seigneur...

PYRRHUS

        Une autre fois je t'ouvrirai mon âme :
Andromaque paraît.

Scène 4

PYRRHUS, ANDROMAQUE, CÉPHISE

PYRRHUS

Me cherchiez-vous, Madame ?
Un espoir si charmant me serait-il permis ?

ANDROMAQUE

260 Je passais jusqu'aux lieux où l'on garde mon fils.
Puisqu'une fois le jour vous souffrez que je voie
Le seul bien qui me reste et d'Hector et de Troie,
J'allais, Seigneur, pleurer un moment avec lui :
Je ne l'ai point encore embrassé d'aujourd'hui.

PYRRHUS

265 Ah, Madame ! les Grecs, si j'en crois leurs alarmes,
Vous donneront bientôt d'autres sujets de larmes.

ANDROMAQUE

Et quelle est cette peur dont leur cœur est frappé,
Seigneur ? Quelque Troyen vous est-il échappé ?

PYRRHUS

Leur haine pour Hector n'est pas encore éteinte.
270 Ils redoutent son fils.

ANDROMAQUE

Digne objet de leur crainte !
Un enfant malheureux qui ne sait pas encor
Que Pyrrhus est son maître, et qu'il est fils d'Hector.

PYRRHUS

Tel qu'il est, tous les Grecs demandent qu'il périsse.
Le fils d'Agamemnon vient hâter son supplice.

ANDROMAQUE

275 Et vous prononcerez un arrêt si cruel ?
Est-ce mon intérêt qui le rend criminel ?
Hélas ! on ne craint point qu'il venge un jour son père ;
On craint qu'il n'essuyât les larmes de sa mère.
Il m'aurait tenu lieu d'un père et d'un époux ;
280 Mais il me faut tout perdre, et toujours par vos coups.

PYRRHUS

Madame, mes refus ont prévenu vos larmes.
Tous les Grecs m'ont déjà menacé de leurs armes,
Mais dussent-ils encore, en repassant les eaux,
Demander votre fils avec mille vaisseaux,
285 Coûtât-il tout le sang qu'Hélène a fait répandre,
Dussé-je après dix ans voir mon palais en cendre,
Je ne balance[1] point, je vole à son secours.
Je défendrai sa vie aux dépens de mes jours.
Mais parmi ces périls où je cours pour vous plaire,
290 Me refuserez-vous un regard moins sévère ?
Haï de tous les Grecs, pressé de tous côtés,
Me faudra-t-il combattre encor vos cruautés ?
Je vous offre mon bras. Puis-je espérer encore
Que vous accepterez un cœur qui vous adore ?
295 En combattant pour vous, me sera-t-il permis
De ne vous point compter parmi mes ennemis ?

ANDROMAQUE

Seigneur, que faites-vous, et que dira la Grèce ?
Faut-il qu'un si grand cœur montre tant de faiblesse ?

_____
1. Je n'hésite.

Voulez-vous qu'un dessein si beau, si généreux,
300 Passe pour le transport d'un esprit amoureux ?
Captive, toujours triste, importune à moi-même,
Pouvez-vous souhaiter qu'Andromaque vous aime ?
Quels charmes ont pour vous des yeux infortunés
Qu'à des pleurs éternels vous avez condamnés ?
305 Non, non ; d'un ennemi respecter la misère,
Sauver des malheureux, rendre un fils à sa mère,
De cent peuples pour lui combattre la rigueur,
Sans me faire payer son salut de mon cœur,
Malgré moi, s'il le faut, lui donner un asile :
310 Seigneur, voilà des soins dignes du fils d'Achille.

PYRRHUS

Hé quoi ! votre courroux n'a-t-il pas eu son cours ?
Peut-on haïr sans cesse ? et punit-on toujours ?
J'ai fait des malheureux, sans doute ; et la Phrygie
Cent fois de votre sang a vu ma main rougie ;
315 Mais que vos yeux sur moi se sont bien exercés[1] !
Qu'ils m'ont vendu bien cher les pleurs qu'ils ont versés !
De combien de remords m'ont-ils rendu la proie !
Je souffre tous les maux que j'ai faits devant Troie.
Vaincu, chargé de fers, de regrets consumé,
320 Brûlé de plus de feux que je n'en allumai,
Tant de soins, tant de pleurs, tant d'ardeurs inquiètes...
Hélas ! fus-je jamais si cruel que vous l'êtes ?
Mais enfin, tour à tour, c'est assez nous punir :
Nos ennemis communs devraient nous réunir.
325 Madame, dites-moi seulement que j'espère[2],
Je vous rends votre fils, et je lui sers de père ;
Je l'instruirai moi-même à venger les Troyens ;

---

1. Acharnés.
2. Que je puis espérer.

J'irai punir les Grecs de vos maux et des miens.
Animé d'un regard[1], je puis tout entreprendre :
330 Votre Ilion[2] encor peut sortir de sa cendre ;
Je puis, en moins de temps que les Grecs ne l'ont pris,
Dans ses murs relevés couronner votre fils.

ANDROMAQUE

Seigneur, tant de grandeurs ne nous touchent plus guère.
Je les lui promettais tant qu'a vécu son père.
335 Non, vous n'espérez plus de nous revoir encor,
Sacrés murs que n'a pu conserver mon Hector !
À de moindres faveurs des malheureux prétendent,
Seigneur : c'est un exil que mes pleurs vous demandent.
Souffrez que, loin des Grecs, et même loin de vous,
340 J'aille cacher mon fils, et pleurer mon époux.
Votre amour contre nous allume trop de haine.
Retournez, retournez à la fille d'Hélène.

PYRRHUS

Et le puis-je, Madame ? Ah ! que vous me gênez[3] !
Comment lui rendre un cœur que vous me retenez ?
345 Je sais que de mes vœux on lui promit l'empire ;
Je sais que pour régner elle vint dans l'Épire ;
Le sort vous y voulut l'une et l'autre amener :
Vous, pour porter des fers, elle, pour en donner.
Cependant ai-je pris quelque soin de lui plaire ?
350 Et ne dirait-on pas, en voyant au contraire
Vos charmes tout-puissants, et les siens dédaignés,
Qu'elle est ici captive et que vous y régnez ?

---

1. Encouragé par un regard.
2. Troie.
3. Que vous me tourmentez, mettez à la torture (voir aussi vers 1347).

Ah ! qu'un seul des soupirs que mon cœur vous
   envoie,
S'il s'échappait vers elle y porterait de joie.

ANDROMAQUE

355 Et pourquoi vos soupirs seraient-ils repoussés ?
Aurait-elle oublié vos services passés ?
Troie, Hector, contre vous, révoltent-ils son âme ?
Aux cendres d'un époux doit-elle enfin sa flamme ?
Et quel époux encore ! Ah ! souvenir cruel !
360 Sa mort seule a rendu votre père immortel ;
Il doit au sang d'Hector tout l'éclat de ses armes,
Et vous n'êtes tous deux connus que par mes larmes.

PYRRHUS

Eh bien, Madame, eh bien ! il faut vous obéir :
Il faut vous oublier, ou plutôt vous haïr.
365 Oui, mes vœux ont trop loin poussé leur violence
Pour ne plus s'arrêter que dans l'indifférence ;
Songez-y bien : il faut désormais que mon cœur,
S'il n'aime avec transport, haïsse avec fureur.
Je n'épargnerai rien dans ma juste colère :
370 Le fils me répondra des mépris de la mère.
La Grèce le demande, et je ne prétends pas
Mettre toujours ma gloire à sauver des ingrats.

ANDROMAQUE

Hélas ! il mourra donc. Il n'a pour sa défense
Que les pleurs de sa mère et que son innocence.
375 Et peut-être après tout, en l'état où je suis,
Sa mort avancera la fin de mes ennuis.
Je prolongeais pour lui ma vie et ma misère ;
Mais enfin sur ses pas j'irai revoir son père.
Ainsi, tous trois, Seigneur, par vos soins réunis,
380 Nous vous...

PYRRHUS

  Allez, Madame, allez voir votre fils.
Peut-être, en le voyant, votre amour plus timide[1]
Ne prendra pas toujours sa colère pour guide.
Pour savoir nos destins j'irai vous retrouver.
Madame, en l'embrassant, songez à le sauver.

---

1. Modéré.

Acte II

Scène I

HERMIONE, CLÉONE

HERMIONE

385 Je fais ce que tu veux. Je consens qu'il me voie.
Je lui veux bien encore accorder cette joie.
Pylade va bientôt conduire ici ses pas ;
Mais si je m'en croyais, je ne le verrais pas.

CLÉONE

Et qu'est-ce que sa vue a pour vous de funeste ?
390 Madame, n'est-ce pas toujours le même Oreste
Dont vous avez cent fois souhaité le retour,
Et dont vous regrettiez la constance et l'amour ?

HERMIONE

C'est cet amour payé de trop d'ingratitude
Qui me rend en ces lieux sa présence si rude[1].
395 Quelle honte pour moi, quel triomphe pour lui,

---

1. Pénible à supporter.

De voir mon infortune égaler son ennui !
Est-ce là, dira-t-il, cette fière Hermione ?
Elle me dédaignait ; un autre l'abandonne.
L'ingrate, qui mettait son cœur à si haut prix,
400 Apprend donc à son tour à souffrir des mépris ?
Ah dieux !

CLÉONE

        Ah ! dissipez ces indignes alarmes :
Il a trop bien senti le pouvoir de vos charmes.
Vous croyez qu'un amant vienne vous insulter[1] ?
Il vous rapporte un cœur qu'il n'a pu vous ôter.
405 Mais vous ne dites point ce que vous mande un père ?

HERMIONE

Dans ses retardements si Pyrrhus persévère,
À la mort du Troyen s'il ne veut consentir,
Mon père avec les Grecs m'ordonne de partir.

CLÉONE

Eh bien, Madame, eh bien ! écoutez donc Oreste.
410 Pyrrhus a commencé, faites au moins le reste.
Pour bien faire il faudrait que vous le prévinssiez.
Ne m'avez-vous pas dit que vous le haïssiez ?

HERMIONE

Si je le hais, Cléone ! Il y va de ma gloire,
Après tant de bontés dont il perd la mémoire ;
415 Lui qui me fut si cher, et qui m'a pu trahir,
Ah ! je l'ai trop aimé pour ne le point haïr !

CLÉONE

Fuyez-le donc, Madame ; et puisqu'on vous adore...

---

1. Offenser (même sens pour injurier, voir vers 422).

HERMIONE

Ah ! laisse à ma fureur le temps de croître encore.
Contre mon ennemi laisse-moi m'assurer[1].
420 Cléone, avec horreur je m'en veux séparer.
Il n'y travaillera que trop bien, l'infidèle !

CLÉONE

Quoi ? vous en attendez quelque injure nouvelle ?
Aimer une captive, et l'aimer à vos yeux,
Tout cela n'a donc pu vous le rendre odieux ?
425 Après ce qu'il a fait, que saurait-il donc faire ?
Il vous aurait déplu, s'il pouvait vous déplaire.

HERMIONE

Pourquoi veux-tu, cruelle, irriter[2] mes ennuis ?
Je crains de me connaître en l'état où je suis.
De tout ce que tu vois tâche de ne rien croire ;
430 Crois que je n'aime plus, vante-moi ma victoire ;
Crois que dans son dépit mon cœur est endurci,
Hélas ! et, s'il se peut, fais-le-moi croire aussi.
Tu veux que je le fuie ? Eh bien ! rien ne m'arrête :
Allons ; n'envions plus son indigne conquête :
435 Que sur lui sa captive étende son pouvoir.
Fuyons... Mais si l'ingrat rentrait dans son devoir !
Si la foi[3] dans son cœur retrouvait quelque place ;
S'il venait à mes pieds me demander sa grâce ;
Si sous mes lois, Amour, tu pouvais l'engager !
440 S'il voulait... Mais l'ingrat ne veut que m'outrager.
Demeurons toutefois pour troubler leur fortune[4],

---

1. Prendre de l'assurance.
2. Exacerber.
3. Fidélité aux engagements.
4. Ici, bonheur.

Prenons quelque plaisir à leur être importune ;
Ou, le forçant de rompre un nœud si solennel,
Aux yeux de tous les Grecs rendons-le criminel.
445 J'ai déjà sur le fils attiré leur colère ;
Je veux qu'on vienne encor lui demander la mère.
Rendons-lui les tourments qu'elle m'a fait souffrir :
Qu'elle le perde, ou bien qu'il la fasse périr.

CLÉONE

Vous pensez que des yeux toujours ouverts aux larmes
450 Se plaisent à troubler le pouvoir de vos charmes,
Et qu'un cœur accablé de tant de déplaisirs
De son persécuteur ait brigué les soupirs ?
Voyez si sa douleur en paraît soulagée.
Pourquoi donc les chagrins où son âme est plongée ?
455 Contre un amant qui plaît pourquoi tant de fierté ?

HERMIONE

Hélas ! pour mon malheur, je l'ai trop écouté.
Je n'ai point du silence affecté le mystère :
Je croyais sans péril pouvoir être sincère,
Et sans armer mes yeux d'un moment de rigueur,
460 Je n'ai pour lui parler consulté que mon cœur.
Et qui ne se serait comme moi déclarée
Sur la foi d'une amour si saintement jurée ?
Me voyait-il de l'œil qu'il me voit aujourd'hui ?
Tu t'en souviens encor, tout conspirait pour lui :
465 Ma famille vengée, et les Grecs dans la joie,
Nos vaisseaux tout chargés des dépouilles de Troie,
Les exploits de son père effacés par les siens,
Ses feux que je croyais plus ardents que les miens,
Mon cœur, toi-même enfin de sa gloire éblouie,
470 Avant qu'il me trahît, vous m'avez tous trahie.
Mais c'en est trop, Cléone, et quel que soit Pyrrhus,

Hermione est sensible, Oreste a des vertus ;
Il sait aimer du moins, et même sans qu'on l'aime,
Et peut-être il saura se faire aimer lui-même.
475 Allons. Qu'il vienne enfin.

CLÉONE

Madame, le voici.

HERMIONE

Ah ! je ne croyais pas qu'il fût si près d'ici.

Scène 2

HERMIONE, ORESTE, CLÉONE

HERMIONE

Le croirai-je, Seigneur, qu'un reste de tendresse
Vous fasse ici chercher une triste princesse ?
Ou ne dois-je imputer qu'à votre seul devoir
480 L'heureux empressement qui vous porte à me voir ?

ORESTE

Tel est de mon amour l'aveuglement funeste.
Vous le savez, Madame, et le destin d'Oreste
Est de venir sans cesse adorer vos attraits,
Et de jurer toujours qu'il n'y viendra jamais.
485 Je sais que vos regards vont rouvrir mes blessures,
Que tous mes pas vers vous sont autant de parjures :
Je le sais, j'en rougis ; mais j'atteste les dieux,
Témoins de la fureur de mes derniers adieux,
Que j'ai couru partout où ma perte certaine
490 Dégageait mes serments et finissait ma peine.

J'ai mendié la mort chez des peuples cruels
Qui n'apaisaient leurs dieux que du sang des mortels :
Ils m'ont fermé leur temple ; et ces peuples barbares
De mon sang prodigué sont devenus avares.
495 Enfin je viens à vous, et je me vois réduit
À chercher dans vos yeux une mort qui me fuit.
Mon désespoir n'attend que leur indifférence :
Ils n'ont qu'à m'interdire un reste d'espérance.
Ils n'ont, pour avancer cette mort où je cours,
500 Qu'à me dire une fois ce qu'ils m'ont dit toujours.
Voilà depuis un an le seul soin qui m'anime.
Madame, c'est à vous de prendre une victime
Que les Scythes auraient dérobée à vos coups,
Si j'en avais trouvé d'aussi cruels que vous.

HERMIONE

505 Quittez, Seigneur, quittez ce funeste langage.
À des soins plus pressants la Grèce vous engage.
Que[1] parlez-vous du Scythe et de mes cruautés ?
Songez à tous ces rois que vous représentez.
Faut-il que d'un transport leur vengeance dépende ?
510 Est-ce le sang d'Oreste enfin qu'on vous demande ?
Dégagez-vous des soins dont vous êtes chargé.

ORESTE

Les refus de Pyrrhus m'ont assez dégagé,
Madame : il me renvoie ; et quelque autre puissance
Lui fait du fils d'Hector embrasser la défense.

HERMIONE

515 L'infidèle !

---

1. Pourquoi.

ORESTE

Ainsi donc, tout prêt à le quitter,
Sur mon propre destin je viens vous consulter.
Déjà même je crois entendre la réponse
Qu'en secret contre moi votre haine prononce.

HERMIONE

Hé quoi ? toujours injuste en vos tristes discours,
520 De mon inimitié vous plaindrez-vous toujours ?
Quelle est cette rigueur tant de fois alléguée ?
J'ai passé dans l'Épire où j'étais reléguée :
Mon père l'ordonnait ; mais qui sait si depuis
Je n'ai point en secret partagé vos ennuis ?
525 Pensez-vous avoir seul éprouvé des alarmes ?
Que l'Épire jamais n'ait vu couler mes larmes ?
Enfin, qui vous a dit que malgré mon devoir
Je n'ai pas quelquefois souhaité de vous voir ?

ORESTE

Souhaité de me voir ! Ah ! divine Princesse...
530 Mais, de grâce, est-ce à moi que ce discours s'adresse ?
Ouvrez vos yeux : songez qu'Oreste est devant vous,
Oreste si longtemps l'objet de leur courroux.

HERMIONE

Oui, c'est vous dont l'amour, naissant avec leurs charmes,
Leur apprit le premier le pouvoir de leurs armes ;
535 Vous que mille vertus me forçaient d'estimer ;
Vous que j'ai plaint, enfin que je voudrais aimer.

ORESTE

Je vous entends. Tel est mon partage[1] funeste :
Le cœur est pour Pyrrhus, et les vœux pour Oreste.

---

1. Sort.

HERMIONE

Ah ! ne souhaitez pas le destin de Pyrrhus :
540 Je vous haïrais trop.

ORESTE

Vous m'en aimeriez plus.
Ah ! que vous me verriez d'un regard bien contraire !
Vous me voulez aimer, et je ne puis vous plaire ;
Et l'amour seul alors se faisant obéir,
Vous m'aimeriez, Madame, en me voulant haïr.
545 Ô dieux ! tant de respects, une amitié[1] si tendre...
Que de raisons pour moi, si vous pouviez m'entendre !
Vous seule pour Pyrrhus disputez[2] aujourd'hui,
Peut-être malgré vous, sans doute malgré lui :
Car enfin il vous hait ; son âme ailleurs éprise
550 N'a plus...

HERMIONE

Qui vous l'a dit, Seigneur, qu'il me méprise ?
Ses regards, ses discours vous l'ont-ils donc appris ?
Jugez-vous que ma vue inspire des mépris,
Qu'elle allume en un cœur des feux si peu durables ?
Peut-être d'autres yeux me sont plus favorables.

ORESTE

555 Poursuivez : il est beau de m'insulter ainsi.
Cruelle, c'est donc moi qui vous méprise ici ?
Vos yeux n'ont pas assez éprouvé ma constance ?
Je suis donc un témoin de leur peu de puissance ?
Je les ai méprisés ? Ah ! qu'ils voudraient bien voir
560 Mon rival comme moi mépriser leur pouvoir !

---

1. Amour (voir aussi vers 903 ou affection au vers1509).
2. Donnez des arguments.

HERMIONE

Que m'importe, Seigneur, sa haine, ou sa tendresse ?
Allez contre un rebelle armer toute la Grèce ;
Rapportez-lui le prix de sa rébellion ;
Qu'on fasse de l'Épire un second Ilion.
565 Allez. Après cela direz-vous que je l'aime ?

ORESTE

Madame, faites plus, et venez-y vous-même.
Voulez-vous demeurer pour otage en ces lieux ?
Venez dans tous les cœurs faire parler vos yeux.
Faisons de notre haine une commune attaque.

HERMIONE

570 Mais, Seigneur, cependant[1], s'il épouse Andromaque ?

ORESTE

Hé, Madame !

HERMIONE

                Songez quelle honte pour nous,
Si d'une Phrygienne il devenait l'époux.

ORESTE

Et vous le haïssez ? Avouez-le, Madame,
L'amour n'est pas un feu qu'on renferme en une âme ;
575 Tout nous trahit, la voix, le silence, les yeux,
Et les feux mal couverts n'en éclatent que mieux.

HERMIONE

Seigneur, je le vois bien, votre âme prévenue[2]
Répand sur mes discours le venin qui la tue,

---

1. Pendant ce temps.
2. Mal disposée à mon égard.

Toujours dans mes raisons cherche quelque détour,
580 Et croit qu'en moi la haine est un effort d'amour.
Il faut donc m'expliquer ; vous agirez en suite.
Vous savez qu'en ces lieux mon devoir m'a conduite ;
Mon devoir m'y retient ; et je n'en puis partir
Que[1] mon père ou Pyrrhus ne m'en fasse sortir.
585 De la part de mon père allez lui faire entendre
Que l'ennemi des Grecs ne peut être son gendre.
Du Troyen ou de moi faites-le décider :
Qu'il songe qui des deux il veut rendre, ou garder ;
Enfin qu'il me renvoie, ou bien qu'il vous le livre.
590 Adieu. S'il y consent, je suis prête à vous suivre.

Scène 3

ORESTE, *seul*

Oui, oui, vous me suivrez, n'en doutez nullement ;
Je vous réponds déjà de son consentement.
Je ne crains pas, enfin, que Pyrrhus la retienne :
Il n'a devant les yeux que sa chère Troyenne ;
595 Tout autre objet le blesse ; et peut-être aujourd'hui
Il n'attend qu'un prétexte à l'éloigner de lui.
Nous n'avons qu'à parler : c'en est fait. Quelle joie
D'enlever à l'Épire une si belle proie !
Sauve tout ce qui reste, et de Troie, et d'Hector,
600 Garde son fils, sa veuve, et mille autres encor,
Épire, c'est assez qu'Hermione rendue
Perde à jamais tes bords et ton prince de vue.
Mais un heureux destin le conduit en ces lieux.
Parlons. À tant d'attraits, Amour, ferme ses yeux !

---

1. Avant que.

Scène 4

PYRRHUS, ORESTE, PHŒNIX

PYRRHUS

605 Je vous cherchais, Seigneur. Un peu de violence
M'a fait de vos raisons combattre la puissance,
Je l'avoue ; et depuis que je vous ai quitté,
J'en ai senti la force et connu l'équité.
J'ai songé comme vous qu'à la Grèce, à mon père,
610 À moi-même, en un mot, je devenais contraire,
Que je relevais Troie, et rendais imparfait
Tout ce qu'a fait Achille, et tout ce que j'ai fait.
Je ne condamne plus un courroux légitime,
Et l'on vous va, Seigneur, livrer votre victime.

ORESTE

615 Seigneur, par ce conseil prudent et rigoureux,
C'est acheter la paix du sang d'un malheureux.

PYRRHUS

Oui ; mais je veux, Seigneur, l'assurer davantage
D'une éternelle paix Hermione est le gage ;
Je l'épouse. Il semblait qu'un spectacle si doux
620 N'attendît en ces lieux qu'un témoin tel que vous :
Vous y représentez tous les Grecs et son père,
Puisqu'en vous Ménélas voit revivre son frère.
Voyez-la donc. Allez. Dites-lui que demain
J'attends, avec la paix, son cœur de votre main.

ORESTE

625 Ah dieux !

Scène 5

PYRRHUS, PHŒNIX

PYRRHUS

Eh bien, Phœnix, l'amour est-il le maître ?
Tes yeux refusent-ils encor de me connaître ?

PHŒNIX

Ah ! je vous reconnais, et ce juste courroux,
Ainsi qu'à tous les Grecs, Seigneur, vous rend à vous.
Ce n'est plus le jouet d'une flamme servile :
630 C'est Pyrrhus. C'est le fils et le rival d'Achille,
Que la gloire à la fin ramène sous ses lois,
Qui triomphe de Troie une seconde fois.

PYRRHUS

Dis plutôt qu'aujourd'hui commence ma victoire.
D'aujourd'hui seulement je jouis de ma gloire,
635 Et mon cœur, aussi fier que tu l'as vu soumis,
Croit avoir en l'amour vaincu mille ennemis.
Considère, Phœnix, les troubles que j'évite,
Quelle foule de maux l'amour traîne à sa suite,
Que d'amis, de devoirs, j'allais sacrifier ;
640 Quels périls... Un regard m'eût tout fait oublier.
Tous les Grecs conjurés fondaient sur un rebelle ;
Je trouvais du plaisir à me perdre pour elle.

PHŒNIX

Oui, je bénis, Seigneur, l'heureuse cruauté
Qui vous rend...

PYRRHUS

Tu l'as vu, comme elle m'a traité.
645 Je pensais, en voyant sa tendresse alarmée,
Que son fils me la dût renvoyer désarmée.
J'allais voir le succès[1] de ses embrassements :
Je n'ai trouvé que pleurs mêlés d'emportements.
Sa misère l'aigrit ; et toujours plus farouche,
650 Cent fois le nom d'Hector est sorti de sa bouche.
Vainement à son fils j'assurais mon secours :
C'est Hector, disait-elle, en l'embrassant toujours ;
Voilà ses yeux, sa bouche, et déjà son audace ;
C'est lui-même ; c'est toi, cher époux, que j'embrasse.
655 Et quelle est sa pensée ? attend-elle en ce jour
Que je lui laisse un fils pour nourrir son amour ?

PHŒNIX

Sans doute. C'est le prix que vous gardait l'ingrate.
Mais laissez-la, Seigneur.

PYRRHUS

Je vois ce qui la flatte[2] :
Sa beauté la rassure, et malgré mon courroux,
660 L'orgueilleuse m'attend encore à ses genoux.
Je la verrais aux miens, Phœnix, d'un œil tranquille.
Elle est veuve d'Hector, et je suis fils d'Achille :
Trop de haine sépare Andromaque et Pyrrhus.

PHŒNIX

Commencez donc, Seigneur, à ne m'en parler plus.
665 Allez voir Hermione, et content de lui plaire,

---

1. Résultat, issue (voir aussi vers 765).
2. La trompe.

Oubliez à ses pieds jusqu'à votre colère.
Vous-même à cet hymen venez la disposer.
Est-ce sur un rival qu'il s'en faut reposer ?
Il ne l'aime que trop.

PYRRHUS

Crois-tu, si je l'épouse,
670 Qu'Andromaque en son cœur n'en sera pas jalouse ?

PHŒNIX

Quoi ! toujours Andromaque occupe votre esprit ?
Que vous importe, ô dieux ! sa joie, ou son dépit ?
Quel charme, malgré vous, vers elle vous attire ?

PYRRHUS

Non, je n'ai pas bien dit tout ce qu'il lui faut dire :
675 Ma colère à ses yeux n'a paru qu'à demi ;
Elle ignore à quel point je suis son ennemi.
Retournons-y. Je veux la braver à sa vue,
Et donner à ma haine une libre étendue.
Viens voir tous ses attraits, Phœnix, humiliés.
680 Allons.

PHŒNIX

Allez, Seigneur, vous jeter à ses pieds.
Allez, en lui jurant que votre âme l'adore,
À de nouveaux mépris l'encourager encore.

PYRRHUS

Je le vois bien, tu crois que prêt à l'excuser
Mon cœur court après elle et cherche à s'apaiser.

PHŒNIX

685 Vous aimez, c'est assez.

PYRRHUS

Moi l'aimer ? une ingrate

Qui me hait d'autant plus que mon amour la flatte ?
Sans parents, sans amis, sans espoir que sur moi ;
Je puis perdre son fils, peut-être je le doi ;
Étrangère... que dis-je ? esclave dans l'Épire,
690 Je lui donne son fils, mon âme, mon empire,
Et je ne puis gagner dans son perfide cœur
D'autre rang que celui de son persécuteur ?
Non, non, je l'ai juré, ma vengeance est certaine :
Il faut bien une fois justifier sa haine.
695 J'abandonne son fils. Que de pleurs vont couler !
De quel nom sa douleur me va-t-elle appeler !
Quel spectacle pour elle aujourd'hui se dispose !
Elle en mourra, Phœnix, et j'en serai la cause.
C'est lui mettre moi-même un poignard dans le sein.

PHŒNIX

700 Et pourquoi donc en faire éclater le dessein ?
Que ne consultiez-vous tantôt votre faiblesse ?

PYRRHUS

Je t'entends. Mais excuse un reste de tendresse.
Crains-tu pour ma colère un si faible combat ?
D'un amour qui s'éteint c'est le dernier éclat.
705 Allons. À tes conseils, Phœnix, je m'abandonne.
Faut-il livrer son fils ? faut-il voir Hermione ?

PHŒNIX

Oui, voyez-la, Seigneur, et par des vœux soumis,
Protestez-lui[1]...

PYRRHUS

Faisons tout ce que j'ai promis.

---

1. Jurez-lui.

Acte III

Scène I

ORESTE, PYLADE

PYLADE

Modérez donc, Seigneur, cette fureur[1] extrême.
710 Je ne vous connais plus ; vous n'êtes plus vous-même.
Souffrez...

ORESTE

      Non, tes conseils ne sont plus de saison,
Pylade ; je suis las d'écouter la raison.
C'est traîner trop longtemps ma vie et mon supplice :
Il faut que je l'enlève, ou bien que je périsse.
715 Le dessein en est pris, je le veux achever.
Oui, je le veux.

PYLADE

      Eh bien ! il la faut enlever.

---

1. État de colère extrême, voire de démence (voir aussi vers
726, 1573).

J'y consens. Mais songez cependant où vous êtes.
Que croira-t-on de vous, à voir ce que vous faites ?
Dissimulez : calmez ce transport inquiet ;
720 Commandez à vos yeux de garder le secret.
Ces gardes, cette cour, l'air qui vous environne,
Tout dépend de Pyrrhus, et surtout Hermione.
À ses regards surtout cachez votre courroux.
Ô dieux ! en cet état pourquoi la cherchiez-vous ?

ORESTE

725 Que sais-je ? De moi-même étais-je alors le maître ?
La fureur m'emportait, et je venais peut-être
Menacer à la fois l'ingrate et son amant.

PYLADE

Et quel était le fruit de cet emportement ?

ORESTE

Et quelle âme, dis-moi, ne serait éperdue
730 Du coup dont ma raison vient d'être confondue[1] ?
Il épouse, dit-il, Hermione demain ;
Il veut pour m'honorer la tenir de ma main.
Ah ! plutôt cette main dans le sang du barbare...

PYLADE

Vous l'accusez, Seigneur, de ce destin bizarre ;
735 Cependant tourmenté de ses propres desseins,
Il est peut-être à plaindre, autant que je vous plains.

ORESTE

Non, non, je le connais, mon désespoir le flatte[2] ;
Sans moi, sans mon amour, il dédaignait l'ingrate.

----

1. Bouleversée.
2. Lui procure du plaisir (voir aussi vers 871).

Ses charmes jusque-là n'avaient pu le toucher :
740 Le cruel ne la prend que pour me l'arracher.
Ah dieux ! c'en était fait : Hermione gagnée
Pour jamais de sa vue allait être éloignée,
Son cœur, entre l'amour et le dépit confus[1],
Pour se donner à moi n'attendait qu'un refus,
745 Ses yeux s'ouvraient, Pylade. Elle écoutait Oreste,
Lui parlait, le plaignait. Un mot eût fait le reste.

PYLADE

Vous le croyez.

ORESTE

                    Hé quoi ? ce courroux enflammé
Contre un ingrat...

PYLADE

                    Jamais il ne fut plus aimé.
Pensez-vous, quand[2] Pyrrhus vous l'aurait accordée,
750 Qu'un prétexte tout prêt ne l'eût pas retardée ?
M'en croirez-vous ? Lassé de ses trompeurs attraits,
Au lieu de l'enlever, fuyez-la pour jamais.
Quoi ? votre amour se veut charger d'une furie
Qui vous détestera, qui toute votre vie,
755 Regrettant un hymen tout prêt à s'achever,
Voudra...

ORESTE

                    C'est pour cela que je veux l'enlever.
Tout lui rirait, Pylade, et moi, pour mon partage,
Je n'emporterais donc qu'une inutile rage ?

---

1. Hésitant.
2. Quand bien même.

J'irais loin d'elle encor tâcher de l'oublier ?
760 Non, non, à mes tourments je veux l'associer.
C'est trop gémir tout seul. Je suis las qu'on me plaigne.
Je prétends qu'à mon tour l'inhumaine me craigne,
Et que ses yeux cruels, à pleurer condamnés,
Me rendent tous les noms que je leur ai donnés.

PYLADE

765 Voilà donc le succès qu'aura votre ambassade :
Oreste ravisseur !

ORESTE

Et qu'importe, Pylade ?
Quand nos États vengés jouiront de mes soins,
L'ingrate de mes pleurs jouira-t-elle moins ?
Et que me servira que la Grèce m'admire,
770 Tandis que je serai la fable[1] de l'Épire ?
Que veux-tu ? Mais s'il faut ne te rien déguiser,
Mon innocence enfin commence à me peser.
Je ne sais de tout temps quelle injuste puissance
Laisse le crime en paix, et poursuit l'innocence.
775 De quelque part sur moi que je tourne les yeux,
Je ne vois que malheurs qui condamnent les dieux.
Méritons leur courroux, justifions leur haine,
Et que le fruit du crime en précède la peine.
Mais toi, par quelle erreur veux-tu toujours sur toi
780 Détourner un courroux qui ne cherche que moi ?
Assez et trop longtemps mon amitié t'accable :
Évite un malheureux, abandonne un coupable.
Cher Pylade, crois-moi, ta pitié te séduit.

---

1. Risée.

Laisse-moi des périls dont j'attends tout le fruit.
785 Porte aux Grecs cet enfant que Pyrrhus m'abandonne.
Va-t'en.

PYLADE

Allons, Seigneur, enlevons Hermione.
Au travers des périls un grand cœur se fait jour.
Que ne peut l'amitié conduite par l'amour ?
Allons de tous vos Grecs encourager le zèle.
790 Nos vaisseaux sont tout prêts, et le vent nous appelle.
Je sais de ce palais tous les détours obscurs ;
Vous voyez que la mer en vient battre les murs.
Et cette nuit sans peine une secrète voie
Jusqu'en votre vaisseau conduira votre proie.

ORESTE

795 J'abuse, cher ami, de ton trop d'amitié.
Mais pardonne à des maux dont toi seul as pitié ;
Excuse un malheureux, qui perd tout ce qu'il aime,
Que tout le monde hait, et qui se hait lui-même.
Que ne puis-je à mon tour dans un sort plus heureux...

PYLADE

800 Dissimulez, Seigneur, c'est tout ce que je veux.
Gardez[1] qu'avant le coup votre dessein n'éclate :
Oubliez jusque-là qu'Hermione est ingrate ;
Oubliez votre amour. Elle vient, je la voi.

ORESTE

Va-t'en. Réponds-moi d'elle, et je réponds de moi.

---

1. Prenez garde.

Scène 2

HERMIONE, ORESTE, CLÉONE

ORESTE

805 Eh bien ? mes soins vous ont rendu votre conquête.
J'ai vu Pyrrhus, Madame, et votre hymen s'apprête.

HERMIONE

On le dit ; et de plus on vient de m'assurer
Que vous ne me cherchiez que pour m'y préparer.

ORESTE

Et votre âme à ses vœux ne sera pas rebelle ?

HERMIONE

810 Qui l'eût cru, que Pyrrhus ne fût pas infidèle ?
Que sa flamme attendrait si tard pour éclater ?
Qu'il reviendrait à moi, quand je l'allais quitter ?
Je veux croire avec vous qu'il redoute la Grèce,
Qu'il suit son intérêt plutôt que sa tendresse,
815 Que mes yeux sur votre âme étaient plus absolus.

ORESTE

Non, Madame, il vous aime, et je n'en doute plus.
Vos yeux ne font-ils pas tout ce qu'ils veulent faire ?
Et vous ne vouliez pas sans doute lui déplaire.

HERMIONE

Mais que puis-je, Seigneur ? On a promis ma foi.
820 Lui ravirai-je un bien qu'il ne tient pas de moi ?
L'amour ne règle pas le sort d'une princesse.
La gloire d'obéir est tout ce qu'on nous laisse.

Cependant je partais, et vous avez pu voir
Combien je relâchais pour vous de mon devoir.

ORESTE

825 Ah ! que vous saviez bien, cruelle... Mais, Madame,
Chacun peut à son choix disposer de son âme.
La vôtre était à vous. J'espérais ; mais enfin
Vous l'avez pu donner sans me faire un larcin.
Je vous accuse aussi bien moins que la fortune.
830 Et pourquoi vous lasser d'une plainte importune ?
Tel est votre devoir, je l'avoue ; et le mien
Est de vous épargner un si triste entretien.

Scène 3

HERMIONE, CLÉONE

HERMIONE

Attendais-tu, Cléone, un courroux si modeste[1] ?

CLÉONE

La douleur qui se tait n'en est que plus funeste.
835 Je le plains d'autant plus qu'auteur de son ennui,
Le coup qui l'a perdu n'est parti que de lui.
Comptez depuis quel temps votre hymen se prépare ;
Il a parlé, Madame, et Pyrrhus se déclare.

HERMIONE

Tu crois que Pyrrhus craint ? Et que craint-il encor ?
840 Des peuples qui dix ans ont fui devant Hector ?

----

1. Modéré.

Qui cent fois effrayés de l'absence d'Achille,
Dans leurs vaisseaux brûlants ont cherché leur asile,
Et qu'on verrait encor, sans l'appui de son fils,
Redemander Hélène aux Troyens impunis ?
845 Non, Cléone, il n'est point ennemi de lui-même,
Il veut tout ce qu'il fait, et s'il m'épouse, il m'aime.
Mais qu'Oreste à son gré m'impute ses douleurs :
N'avons-nous d'entretien que celui de ses pleurs ?
Pyrrhus revient à nous. Eh bien, chère Cléone,
850 Conçois-tu les transports de l'heureuse Hermione ?
Sais-tu quel est Pyrrhus ? T'es-tu fait raconter
Le nombre des exploits... mais qui les peut compter ?
Intrépide, et partout suivi de la victoire,
Charmant, fidèle enfin, rien ne manque à sa gloire.
855 Songe...

CLÉONE

Dissimulez. Votre rivale en pleurs
Vient à vos pieds sans doute apporter ses douleurs.

HERMIONE

Dieux ! ne puis-je à ma joie abandonner mon âme ?
Sortons : que lui dirais-je ?

Scène 4

ANDROMAQUE, HERMIONE, CLÉONE, CÉPHISE

ANDROMAQUE

Où fuyez-vous, Madame ?
N'est-ce pas à vos yeux un spectacle assez doux
860 Que la veuve d'Hector pleurante à vos genoux ?

Je ne viens point ici, par de jalouses larmes,
Vous envier un cœur qui se rend à vos charmes.
Par une main cruelle, hélas ! j'ai vu percer
Le seul où mes regards prétendaient s'adresser.
865 Ma flamme par Hector fut jadis allumée ;
Avec lui dans la tombe elle s'est enfermée.
Mais il me reste un fils. Vous saurez quelque jour,
Madame, pour un fils jusqu'où va notre amour ;
Mais vous ne saurez pas, du moins je le souhaite,
870 En quel trouble mortel son intérêt nous jette,
Lorsque de tant de biens qui pouvaient nous flatter,
C'est le seul qui nous reste, et qu'on veut nous l'ôter.
Hélas ! lorsque lassés de dix ans de misère,
Les Troyens en courroux menaçaient votre mère,
875 J'ai su de mon Hector lui procurer l'appui.
Vous pouvez sur Pyrrhus ce que j'ai pu sur lui.
Que craint-on d'un enfant qui survit à sa perte ?
Laissez-moi le cacher en quelque île déserte ;
Sur les soins de sa mère on peut s'en assurer,
880 Et mon fils avec moi n'apprendra qu'à pleurer.

HERMIONE

Je conçois vos douleurs. Mais un devoir austère,
Quand mon père a parlé, m'ordonne de me taire.
C'est lui qui de Pyrrhus fait agir le courroux.
S'il faut fléchir Pyrrhus, qui le peut mieux que vous ?
885 Vos yeux assez longtemps ont régné sur son âme ;
Faites-le prononcer[1] : j'y souscrirai, Madame.

---

1. Prendre une décision.

Scène 5

ANDROMAQUE, CÉPHISE

ANDROMAQUE

Quel mépris la cruelle attache à ses refus !

CÉPHISE

Je croirais ses conseils, et je verrais Pyrrhus.
Un regard confondrait[1] Hermione et la Grèce...
890 Mais lui-même il vous cherche.

Scène 6

PYRRHUS, ANDROMAQUE, PHŒNIX, CÉPHISE

PYRRHUS, à *Phœnix*

                              Où donc est la princesse ?
Ne m'avais-tu pas dit qu'elle était en ces lieux ?

PHŒNIX

Je le croyais.

ANDROMAQUE, à *Céphise*

              Tu vois le pouvoir de mes yeux !

PYRRHUS

Que dit-elle, Phœnix ?

---

1. Vaincrait.

ANDROMAQUE

Hélas ! tout m'abandonne.

PHŒNIX

Allons, Seigneur, marchons sur les pas d'Hermione.

CÉPHISE

895 Qu'attendez-vous ? Rompez ce silence obstiné.

ANDROMAQUE

Il a promis mon fils.

CÉPHISE

Il ne l'a pas donné.

ANDROMAQUE

Non, non, j'ai beau pleurer, sa mort est résolue.

PYRRHUS

Daigne-t-elle sur nous tourner au moins la vue ?
Quel orgueil !

ANDROMAQUE

Je ne fais que l'irriter encor.
900 Sortons.

PYRRHUS

Allons aux Grecs livrer le fils d'Hector.

ANDROMAQUE

Ah ! Seigneur, arrêtez ! Que prétendez-vous faire ?
Si vous livrez le fils, livrez-leur donc la mère.
Vos serments m'ont tantôt juré tant d'amitié !
Dieux ! ne pourrai-je au moins toucher votre pitié ?
905 Sans espoir de pardon m'avez-vous condamnée ?

PYRRHUS

Phœnix vous le dira, ma parole est donnée.

ANDROMAQUE

Vous qui braviez pour moi tant de périls divers !

PYRRHUS

J'étais aveugle alors ; mes yeux se sont ouverts.
Sa grâce à vos désirs pouvait être accordée ;
910 Mais vous ne l'avez pas seulement demandée :
C'en est fait.

ANDROMAQUE

Ah ! Seigneur, vous entendiez[1] assez
Des soupirs qui craignaient de se voir repoussés.
Pardonnez à l'éclat d'une illustre fortune
Ce reste de fierté, qui craint d'être importune.
915 Vous ne l'ignorez pas : Andromaque, sans vous,
N'aurait jamais d'un maître embrassé les genoux.

PYRRHUS

Non, vous me haïssez ; et dans le fond de l'âme
Vous craignez de devoir quelque chose à ma flamme.
Ce fils même, ce fils, l'objet de tant de soins,
920 Si je l'avais sauvé, vous l'en aimeriez moins.
La haine, le mépris, contre moi tout s'assemble ;
Vous me haïssez plus que tous les Grecs ensemble.
Jouissez à loisir d'un si noble courroux.
Allons, Phœnix.

ANDROMAQUE

Allons rejoindre mon époux.

---

1. Vous compreniez.

CÉPHISE

925 Madame...

ANDROMAQUE

Et que veux-tu que je lui dise encore ?
Auteur de tous mes maux, crois-tu qu'il les ignore ?
Seigneur, voyez l'état où vous me réduisez.
J'ai vu mon père mort et nos murs embrasés,
J'ai vu trancher les jours de ma famille entière,
930 Et mon époux sanglant traîné sur la poussière,
Son fils seul avec moi réservé pour les fers.
Mais que ne peut un fils ? Je respire, je sers[1].
J'ai fait plus : je me suis quelquefois consolée
Qu'ici plutôt qu'ailleurs le sort m'eût exilée ;
935 Qu'heureux dans son malheur, le fils de tant de rois,
Puisqu'il devait servir, fût tombé sous vos lois.
J'ai cru que sa prison deviendrait son asile.
Jadis Priam soumis fut respecté d'Achille :
J'attendais de son fils encor plus de bonté.
940 Pardonne, cher Hector, à ma crédulité.
Je n'ai pu soupçonner ton ennemi d'un crime ;
Malgré lui-même enfin je l'ai cru magnanime.
Ah ! s'il l'était assez pour nous laisser du moins
Au tombeau qu'à ta cendre ont élevé mes soins ;
945 Et que finissant là sa haine et nos misères,
Il ne séparât point des dépouilles si chères !

PYRRHUS

Va m'attendre, Phœnix.

---

1. Je suis esclave.

Scène 7

PYRRHUS, ANDROMAQUE, CÉPHISE

PYRRHUS *continue*

Madame, demeurez.
On peut vous rendre encor ce fils que vous pleurez.
Oui, je sens à regret qu'en excitant vos larmes
950 Je ne fais contre moi que vous donner des armes.
Je croyais apporter plus de haine en ces lieux.
Mais, Madame, du moins tournez vers moi les yeux :
Voyez si mes regards sont d'un juge sévère,
S'ils sont d'un ennemi qui cherche à vous déplaire.
955 Pourquoi me forcez-vous vous-même à vous trahir ?
Au nom de votre fils, cessons de nous haïr.
À le sauver enfin c'est moi qui vous convie.
Faut-il que mes soupirs vous demandent sa vie ?
Faut-il qu'en sa faveur j'embrasse vos genoux ?
960 Pour la dernière fois, sauvez-le, sauvez-vous.
Je sais de quels serments je romps pour vous
      les chaînes,
Combien je vais sur moi faire éclater de haines.
Je renvoie Hermione, et je mets sur son front,
Au lieu de ma couronne, un éternel affront.
965 Je vous conduis au temple où son hymen s'apprête,
Je vous ceins du bandeau préparé pour sa tête.
Mais ce n'est plus, Madame, une offre à dédaigner :
Je vous le dis, il faut ou périr ou régner.
Mon cœur, désespéré d'un an d'ingratitude,
970 Ne peut plus de son sort souffrir l'incertitude.
C'est craindre, menacer et gémir trop longtemps.

Je meurs si je vous perds, mais je meurs si
    j'attends.
Songez-y : je vous laisse, et je viendrai vous prendre
Pour vous mener au temple, où ce fils doit
    m'attendre.
975 Et là vous me verrez soumis, ou furieux,
Vous couronner, Madame, ou le perdre à vos yeux.

Scène 8

ANDROMAQUE, CÉPHISE

CÉPHISE

Je vous l'avais prédit, qu'en dépit de la Grèce
De votre sort encor vous seriez la maîtresse.

ANDROMAQUE

Hélas ! de quel effet tes discours sont suivis ?
980 Il ne me restait plus qu'à condamner mon fils.

CÉPHISE

Madame, à votre époux c'est être assez fidèle :
Trop de vertu pourrait vous rendre criminelle ;
Lui-même il porterait votre âme à la douceur.

ANDROMAQUE

Quoi, je lui donnerais Pyrrhus pour successeur ?

CÉPHISE

985 Ainsi le veut son fils, que les Grecs vous ravissent.
Pensez-vous qu'après tout ses mânes en rougissent ?
Qu'il méprisât, Madame, un roi victorieux,

Qui vous fait remonter au rang de vos aïeux ;
Qui foule aux pieds pour vous vos vainqueurs en colère,
990 Qui ne se souvient plus qu'Achille était son père,
Qui dément ses exploits et les rend superflus ?

ANDROMAQUE

Dois-je les oublier, s'il ne s'en souvient plus ?
Dois-je oublier Hector privé de funérailles,
Et traîné sans honneur autour de nos murailles ?
995 Dois-je oublier son père à mes pieds renversé,
Ensanglantant l'autel qu'il tenait embrassé ?
Songe, songe, Céphise, à cette nuit cruelle
Qui fut pour tout un peuple une nuit éternelle ;
Figure-toi Pyrrhus les yeux étincelants,
1000 Entrant à la lueur de nos palais brûlants ;
Sur tous mes frères morts se faisant un passage,
Et de sang tout couvert échauffant le carnage ;
Songe aux cris des vainqueurs, songe aux cris des
    mourants,
Dans la flamme étouffés, sous le fer expirants ;
1005 Peins-toi dans ces horreurs Andromaque éperdue :
Voilà comme Pyrrhus vint s'offrir à ma vue,
Voilà par quels exploits il sut se couronner,
Enfin voilà l'époux que tu me veux donner.
Non, je ne serai point complice de ses crimes ;
1010 Qu'il nous prenne, s'il veut, pour dernières victimes.
Tous mes ressentiments lui seraient asservis.

CÉPHISE

Eh bien, allons donc voir expirer votre fils :
On n'attend plus que vous. Vous frémissez, Madame ?

ANDROMAQUE

Ah ! de quel souvenir viens-tu frapper mon âme !
1015 Quoi, Céphise, j'irai voir expirer encor

Ce fils, ma seule joie, et l'image d'Hector ?
Ce fils que de sa flamme il me laissa pour gage ?
Hélas ! je m'en souviens, le jour que son courage
Lui fit chercher Achille, ou plutôt le trépas,
1020 Il demanda son fils, et le prit dans ses bras :
Chère épouse, dit-il en essuyant mes larmes,
J'ignore quel succès le sort garde à mes armes ;
Je te laisse mon fils pour gage de ma foi :
S'il me perd, je prétends qu'il me retrouve en toi.
1025 Si d'un heureux hymen la mémoire t'est chère,
Montre au fils à quel point tu chérissais le père.
Et je puis voir répandre un sang si précieux ?
Et je laisse avec lui périr tous ses aïeux ?
Roi barbare, faut-il que mon crime l'entraîne ?
1030 Si je te hais, est-il coupable de ma haine ?
T'a-t-il de tous les siens reproché le trépas ?
S'est-il plaint à tes yeux des maux qu'il ne sent pas ?
Mais cependant, mon fils, tu meurs si je n'arrête
Le fer que le cruel tient levé sur ta tête.
1035 Je l'en puis détourner, et je t'y vais offrir ?
Non, tu ne mourras point, je ne le puis souffrir.
Allons trouver Pyrrhus. Mais non, chère Céphise,
Va le trouver pour moi.

CÉPHISE

Que faut-il que je dise ?

ANDROMAQUE

Dis-lui que de mon fils l'amour est assez fort...
1040 Crois-tu que dans son cœur il ait juré sa mort ?
L'amour peut-il si loin pousser sa barbarie ?

CÉPHISE

Madame, il va bientôt revenir en furie.

ANDROMAQUE

Eh bien, va l'assurer...

CÉPHISE

De quoi ? de votre foi ?

ANDROMAQUE

Hélas ! pour la promettre est-elle encore à moi ?
1045 Ô cendres d'un époux ! ô Troyens ! ô mon père !
Ô mon fils, que tes jours coûtent cher à ta mère !
Allons.

CÉPHISE

Où donc, Madame, et que résolvez-vous ?

ANDROMAQUE

Allons sur son tombeau consulter mon époux.

Acte IV

Scène I

ANDROMAQUE, CÉPHISE

CÉPHISE

Ah ! je n'en doute point : c'est votre époux,
    Madame,
1050 C'est Hector qui produit ce miracle en votre âme.
Il veut que Troie encor se puisse relever,
Avec cet heureux fils, qu'il vous fait conserver.
Pyrrhus vous l'a promis. Vous venez de l'entendre,
Madame : il n'attendait qu'un mot pour vous le
    rendre.
1055 Croyez-en ses transports : père, sceptre, alliés,
Content de votre cœur, il met tout à vos pieds.
Sur lui, sur tout son peuple il vous rend souveraine.
Est-ce là ce vainqueur digne de tant de haine ?
Déjà contre les Grecs plein d'un noble courroux,
1060 Le soin de votre fils le touche autant que vous.
Il prévient leur fureur, il lui laisse sa garde ;
Pour ne pas l'exposer, lui-même il se hasarde.
Mais tout s'apprête au temple. Et vous avez promis.

ANDROMAQUE

Oui, je m'y trouverai. Mais allons voir mon fils.

CÉPHISE

1065 Madame, qui vous presse ? Il suffit que sa vue
Désormais à vos yeux ne soit plus défendue.
Vous lui pourrez bientôt prodiguer vos bontés,
Et vos embrassements ne seront plus comptés.
Quel plaisir d'élever un enfant qu'on voit craître[1],
1070 Non plus comme un esclave élevé pour son maître,
Mais pour voir avec lui renaître tant de rois !

ANDROMAQUE

Céphise, allons le voir pour la dernière fois.

CÉPHISE

Que dites-vous ? Ô dieux !

ANDROMAQUE

                    Ô ma chère Céphise,
Ce n'est point avec toi que mon cœur se déguise.
1075 Ta foi[2], dans mon malheur, s'est montrée à mes yeux ;
Mais j'ai cru qu'à mon tour tu me connaissais mieux.
Quoi donc ? as-tu pensé qu'Andromaque infidèle
Pût trahir un époux qui croit revivre en elle,
Et que de tant de morts réveillant la douleur,
1080 Le soin de mon repos me fît troubler le leur ?
Est-ce là cette ardeur tant promise à sa cendre ?
Mais son fils périssait ; il l'a fallu défendre.
Pyrrhus en m'épousant s'en déclare l'appui ;
Il suffit : je veux bien m'en reposer sur lui.

---

1. Croître.
2. Fidélité.

1085 Je sais quel est Pyrrhus : violent, mais sincère,
     Céphise, il fera plus qu'il n'a promis de faire.
     Sur le courroux des Grecs je m'en repose encor :
     Leur haine va donner un père au fils d'Hector.
     Je vais donc, puisqu'il faut que je me sacrifie,
1090 Assurer à Pyrrhus le reste de ma vie ;
     Je vais en recevant sa foi sur les autels,
     L'engager à mon fils par des nœuds immortels.
     Mais aussitôt ma main, à moi seule funeste,
     D'une infidèle vie abrégera le reste,
1095 Et sauvant ma vertu rendra ce que je doi,
     À Pyrrhus, à mon fils, à mon époux, à moi.
     Voilà de mon amour l'innocent stratagème ;
     Voilà ce qu'un époux m'a commandé lui-même ;
     J'irai seule rejoindre Hector, et mes aïeux.
1100 Céphise, c'est à toi de me fermer les yeux.

CÉPHISE

Ah ! ne prétendez pas que je puisse survivre.

ANDROMAQUE

     Non, non, je te défends, Céphise, de me suivre.
     Je confie à tes soins mon unique trésor.
     Si tu vivais pour moi, vis pour le fils d'Hector.
1105 De l'espoir des Troyens seule dépositaire,
     Songe à combien de rois tu deviens nécessaire.
     Veille auprès de Pyrrhus ; fais-lui garder sa foi :
     S'il le faut, je consens qu'on lui parle de moi ;
     Fais-lui valoir l'hymen où je me suis rangée ;
1110 Dis-lui qu'avant ma mort je lui fus engagée,
     Que ses ressentiments doivent être effacés,
     Qu'en lui laissant mon fils, c'est l'estimer assez.
     Fais connaître à mon fils les héros de sa race ;
     Autant que tu pourras, conduis-le sur leur trace :
1115 Dis-lui par quels exploits leurs noms ont éclaté,

Plutôt ce qu'ils ont fait que ce qu'ils ont été,
Parle-lui tous les jours des vertus de son père,
Et quelquefois aussi parle-lui de sa mère.
Mais qu'il ne songe plus, Céphise, à nous venger :
1120 Nous lui laissons un maître, il le doit ménager.
Qu'il ait de ses aïeux un souvenir modeste :
Il est du sang d'Hector, mais il en est le reste ;
Et pour ce reste enfin j'ai moi-même, en un jour,
Sacrifié mon sang, ma haine, et mon amour.

CÉPHISE

1125 Hélas !

ANDROMAQUE

Ne me suis point, si ton cœur en alarmes
Prévoit qu'il ne pourra commander à tes larmes.
On vient. Cache tes pleurs, Céphise, et souviens-toi
Que le sort d'Andromaque est commis[1] à ta foi.
C'est Hermione. Allons, fuyons sa violence.

Scène 2

HERMIONE, CLÉONE

CLÉONE

1130 Non, je ne puis assez admirer[2] ce silence.
Vous vous taisez, Madame, et ce cruel mépris
N'a pas du moindre trouble agité vos esprits ?
Vous soutenez[3] en paix une si rude attaque,

---

1. Confié.
2. M'étonner de.
3. Vous supportez.

Vous qu'on voyait frémir au seul non d'Andromaque ?
1135 Vous qui sans désespoir ne pouviez endurer
Que Pyrrhus d'un regard la voulût honorer ?
Il l'épouse, il lui donne avec son diadème
La foi que vous venez de recevoir vous-même ;
Et votre bouche encor muette à tant d'ennui,
1140 N'a pas daigné s'ouvrir pour se plaindre de lui ?
Ah ! que je crains, Madame, un calme si funeste !
Et qu'il vaudrait bien mieux...

HERMIONE

Fais-tu venir Oreste ?

CLÉONE

Il vient, Madame, il vient. Et vous pouvez juger
Que bientôt à vos pieds il allait se ranger ;
1145 Prêt à servir toujours sans espoir de salaire[1],
Vos yeux ne sont que trop assurés de lui plaire.
Mais il entre.

Scène 3

ORESTE, HERMIONE, CLÉONE

ORESTE

Ah ! Madame ! est-il vrai qu'une fois[2]
Oreste en vous cherchant obéisse à vos lois ?
Ne m'a-t-on point flatté d'une fausse espérance ?
1150 Avez-vous en effet[3] souhaité ma présence ?

---

1. Récompense.
2. Pour une fois.
3. Effectivement.

Croirai-je que vos yeux à la fin désarmés
Veulent...

HERMIONE

Je veux savoir, Seigneur, si vous m'aimez.

ORESTE

Si je vous aime ? ô dieux ! mes serments, mes
    parjures,
Ma fuite, mon retour, mes respects, mes injures,
1155 Mon désespoir, mes yeux de pleurs toujours noyés,
Quels témoins croirez-vous, si vous ne les croyez ?

HERMIONE

Vengez-moi, je crois tout.

ORESTE

       Eh bien ! allons, Madame
Mettons encore un coup toute la Grèce en flamme ;
Prenons, en signalant[1] mon bras, et votre nom,
1160 Vous la place d'Hélène, et moi d'Agamemnon.
De Troie en ce pays réveillons les misères,
Et qu'on parle de nous ainsi que de nos pères.
Partons, je suis tout prêt.

HERMIONE

      Non, Seigneur, demeurons :
Je ne veux pas si loin porter de tels affronts.
1165 Quoi ! de mes ennemis couronnant l'insolence,
J'irais attendre ailleurs une lente vengeance,
Et je m'en remettrais au destin des combats,
Qui peut-être à la fin ne me vengerait pas ?
Je veux qu'à mon départ toute l'Épire pleure.

-----

1. En rendant célèbres.

1170 Mais si vous me vengez, vengez-moi dans une heure.
Tous vos retardements sont pour moi des refus.
Courez au temple. Il faut immoler...

ORESTE

Qui ?

HERMIONE

Pyrrhus.

ORESTE

Pyrrhus, Madame ?

HERMIONE

Eh quoi ! votre haine chancelle ?
Ah ! courez, et craignez que je ne vous rappelle.
1175 N'alléguez point des droits que je veux oublier ;
Et ce n'est pas à vous à le justifier.

ORESTE

Moi, je l'excuserais ? Ah ! vos bontés, Madame,
Ont gravé trop avant ses crimes dans mon âme.
Vengeons-nous, j'y consens. Mais par d'autres chemins :
1180 Soyons ses ennemis, et non ses assassins ;
Faisons de sa ruine une juste conquête.
Quoi ! pour réponse aux Grecs porterai-je sa tête ?
Et n'ai-je pris sur moi le soin de tout l'État,
Que pour m'en acquitter par un assassinat ?
1185 Souffrez, au nom des dieux, que la Grèce s'explique,
Et qu'il meure chargé de la haine publique.
Souvenez-vous qu'il règne, et qu'un front couronné...

HERMIONE

Ne vous suffit-il pas que je l'ai condamné ?
Ne vous suffit-il pas que ma gloire offensée

1190 Demande une victime à moi seule adressée ;
Qu'Hermione est le prix d'un tyran opprimé[1],
Que je le hais, enfin, Seigneur, que je l'aimai ?
Je ne m'en cache point : l'ingrat m'avait su plaire,
Soit qu'ainsi l'ordonnât mon amour ou mon père,
1195 N'importe ; mais enfin réglez-vous là-dessus.
Malgré mes vœux, Seigneur, honteusement déçus,
Malgré la juste horreur que son crime me donne,
Tant qu'il vivra, craignez que je ne lui pardonne.
Doutez jusqu'à sa mort d'un courroux incertain :
1200 S'il ne meurt aujourd'hui, je puis l'aimer demain.

ORESTE

Eh bien, il faut le perdre, et prévenir sa grâce ;
Il faut... Mais cependant que faut-il que je fasse ?
Comment puis-je si tôt servir votre courroux ?
Quel chemin jusqu'à lui peut conduire mes coups ?
1205 À peine suis-je encore arrivé dans l'Épire,
Vous voulez par mes mains renverser un empire ;
Vous voulez qu'un roi meure, et pour son châtiment
Vous ne donnez qu'un jour, qu'une heure, qu'un
    moment.
Aux yeux de tout son peuple, il faut que je l'opprime ?
1210 Laissez-moi vers l'autel conduire ma victime.
Je ne m'en défends plus ; et je ne veux qu'aller
Reconnaître la place où je dois l'immoler.
Cette nuit je vous sers. Cette nuit je l'attaque.

HERMIONE

Mais cependant ce jour il épouse Andromaque.
1215 Dans le temple déjà le trône est élevé.
Ma honte est confirmée, et son crime achevé.

---

1. Supprimé.

Enfin qu'attendez-vous ? Il vous offre sa tête :
Sans gardes, sans défense il marche à cette fête ;
Autour du fils d'Hector il les fait tous ranger ;
1220 Il s'abandonne au bras qui me voudra venger.
Voulez-vous malgré lui prendre soin de sa vie ?
Armez avec vos Grecs tous ceux qui m'ont suivie ;
Soulevez vos amis. Tous les miens sont à vous :
Il me trahit, vous trompe, et nous méprise tous.
1225 Mais quoi ? Déjà leur haine est égale à la mienne :
Elle épargne à regret l'époux d'une Troyenne.
Parlez : mon ennemi ne vous peut échapper.
Ou plutôt, il ne faut que les laisser frapper.
Conduisez, ou suivez une fureur si belle ;
1230 Revenez tout couvert du sang de l'infidèle ;
Allez : en cet état soyez sûr de mon cœur.

ORESTE

Mais, Madame, songez...

HERMIONE

                    Ah ! c'en est trop, Seigneur.
Tant de raisonnements offensent ma colère.
J'ai voulu vous donner les moyens de me plaire,
1235 Rendre Oreste content ; mais enfin je vois bien
Qu'il veut toujours se plaindre, et ne mériter rien.
Partez : allez ailleurs vanter votre constance,
Et me laissez ici le soin de ma vengeance.
De mes lâches bontés mon courage est confus,
1240 Et c'est trop en un jour essuyer de refus.
Je m'en vais seule au temple, où leur hymen s'apprête,
Où vous n'osez aller mériter ma conquête.
Là, de mon ennemi je saurai m'approcher.
Je percerai le cœur que je n'ai pu toucher,
1245 Et mes sanglantes mains, sur moi-même tournées,
Aussitôt, malgré lui, joindront nos destinées,

Et tout ingrat qu'il est, il me sera plus doux
De mourir avec lui que de vivre avec vous.

ORESTE

Non, je vous priverai de ce plaisir funeste,
1250 Madame : il ne mourra que de la main d'Oreste.
Vos ennemis par moi vont vous être immolés,
Et vous reconnaîtrez mes soins, si vous voulez.

HERMIONE

Allez. De votre sort laissez-moi la conduite,
Et que tous vos vaisseaux soient prêts pour notre fuite.

Scène 4

HERMIONE, CLÉONE

CLÉONE

1255 Vous vous perdez, Madame. Et vous devez songer...

HERMIONE

Que je me perde ou non, je songe à me venger.
Je ne sais même encor, quoi qu'il m'ait pu promettre,
Sur d'autres que sur moi si je dois m'en remettre :
Pyrrhus n'est pas coupable à ses yeux comme aux miens,
1260 Et je tiendrais mes coups bien plus sûrs que les siens.
Quel plaisir de venger moi-même mon injure,
De retirer mon bras teint du sang du parjure,
Et pour rendre sa peine et mes plaisirs plus grands,
De cacher ma rivale à ses regards mourants !
1265 Ah ! si du moins Oreste, en punissant son crime,
Lui laissait le regret de mourir ma victime !

Va le trouver : dis-lui qu'il apprenne à l'ingrat
Qu'on l'immole à ma haine, et non pas à l'État.
Chère Cléone, cours : ma vengeance est perdue
1270 S'il ignore en mourant que c'est moi qui le tue.

CLÉONE

Je vous obéirai. Mais qu'est-ce que je voi ?
Ô dieux ! qui l'aurait cru, Madame ? C'est le roi.

HERMIONE

Ah ! cours après Oreste ; et dis-lui, ma Cléone,
Qu'il n'entreprenne rien sans revoir Hermione !

Scène 5

PYRRHUS, HERMIONE, PHŒNIX

PYRRHUS

1275 Vous ne m'attendiez pas, Madame, et je vois bien
Que mon abord[1] ici trouble votre entretien.
Je ne viens point armé d'un indigne artifice
D'un voile d'équité couvrir mon injustice :
Il suffit que mon cœur me condamne tout bas,
1280 Et je soutiendrais mal ce que je ne crois pas.
J'épouse une Troyenne. Oui, Madame, et j'avoue
Que je vous ai promis la foi que je lui voue.
Un autre vous dirait que dans les champs troyens
Nos deux pères sans nous formèrent ces liens,
1285 Et que sans consulter ni mon choix ni le vôtre,
Nous fûmes sans amour engagés l'un à l'autre ;

---

1. Venue.

Mais c'est assez pour moi que je me sois soumis.
Par mes ambassadeurs mon cœur vous fut promis ;
Loin de les révoquer, je voulus y souscrire :
1290 Je vous vis avec eux arriver en Épire,
Et quoique d'un autre œil l'éclat victorieux
Eût déjà prévenu le pouvoir de vos yeux,
Je ne m'arrêtai point à cette ardeur nouvelle ;
Je voulus m'obstiner à vous être fidèle :
1295 Je vous reçus en reine, et jusques à ce jour
J'ai cru que mes serments me tiendraient lieu d'amour.
Mais cet amour l'emporte. Et par un coup funeste,
Andromaque m'arrache un cœur qu'elle déteste.
L'un par l'autre entraînés, nous courons à l'autel
1300 Nous jurer, malgré nous, un amour immortel.
Après cela, Madame, éclatez[1] contre un traître,
Qui l'est avec douleur, et qui pourtant veut l'être.
Pour moi, loin de contraindre un si juste courroux,
Il me soulagera peut-être autant que vous.
1305 Donnez-moi tous les noms destinés aux parjures :
Je crains votre silence, et non pas vos injures,
Et mon cœur soulevant mille secrets témoins
M'en dira d'autant plus que vous m'en direz moins.

HERMIONE

Seigneur, dans cet aveu dépouillé d'artifice,
1310 J'aime à voir que du moins vous vous rendiez justice,
Et que voulant bien rompre un nœud si solennel,
Vous vous abandonniez au crime en criminel.
Est-il juste après tout qu'un conquérant s'abaisse
Sous la servile loi de garder sa promesse ?
1315 Non, non, la perfidie a de quoi vous tenter ;
Et vous ne me cherchez que pour vous en vanter.

---

1. Éclatez de colère.

Quoi ? Sans que ni serment ni devoir vous retienne,
Rechercher une Grecque, amant d'une Troyenne ?
Me quitter, me reprendre, et retourner encor
1320 De la fille d'Hélène à la veuve d'Hector ?
Couronner tour à tour l'esclave, et la princesse,
Immoler Troie aux Grecs, au fils d'Hector la Grèce ?
Tout cela part d'un cœur toujours maître de soi,
D'un héros qui n'est point esclave de sa foi.
1325 Pour plaire à votre épouse, il vous faudrait peut-être
Prodiguer les doux noms de parjure, et de traître.
Vous veniez de mon front observer la pâleur,
Pour aller dans ses bras rire de ma douleur.
Pleurante après son char vous voulez qu'on me voie ;
1330 Mais, Seigneur, en un jour ce serait trop de joie ;
Et sans chercher ailleurs des titres empruntés,
Ne vous suffit-il pas de ceux que vous portez ?
Du vieux père d'Hector la valeur abattue
Aux pieds de sa famille expirante à sa vue,
1335 Tandis que dans son sein votre bras enfoncé
Cherche un reste de sang que l'âge avait glacé ;
Dans des ruisseaux de sang Troie ardente plongée,
De votre propre main Polyxène égorgée
Aux yeux de tous les Grecs indignés contre vous,
1340 Que peut-on refuser à ces généreux coups ?

PYRRHUS

Madame, je sais trop à quels excès de rage
La vengeance d'Hélène emporta mon courage.
Je puis me plaindre à vous du sang que j'ai versé ;
Mais enfin je consens d'oublier le passé.
1345 Je rends grâces au ciel que votre indifférence
De mes heureux soupirs m'apprenne l'innocence.
Mon cœur, je le vois bien, trop prompt à se gêner,
Devait mieux vous connaître et mieux s'examiner.
Mes remords vous faisaient une injure mortelle.

1350 Il faut se croire aimé pour se croire infidèle.
     Vous ne prétendiez point m'arrêter dans vos fers :
     Je crains de vous trahir, peut-être je vous sers.
     Nos cœurs n'étaient point faits dépendants l'un de
        l'autre ;
     Je suivais mon devoir, et vous cédiez au vôtre ;
1355 Rien ne vous engageait à m'aimer en effet.

HERMIONE

     Je ne t'ai point aimé, cruel ? Qu'ai-je donc fait ?
     J'ai dédaigné pour toi les vœux de tous nos princes,
     Je t'ai cherché moi-même au fond de tes provinces.
     J'y suis encor, malgré tes infidélités,
1360 Et malgré tous mes Grecs honteux de mes bontés.
     Je leur ai commandé de cacher mon injure[1] ;
     J'attendais en secret le retour d'un parjure ;
     J'ai cru que tôt ou tard, à ton devoir rendu,
     Tu me rapporterais un cœur qui m'était dû.
1365 Je t'aimais inconstant, qu'aurais-je fait fidèle ?
     Et même en ce moment, où ta bouche cruelle
     Vient si tranquillement m'annoncer le trépas,
     Ingrat, je doute encor si je ne t'aime pas.
     Mais, Seigneur, s'il le faut, si le ciel en colère
1370 Réserve à d'autres yeux la gloire de vous plaire,
     Achevez votre hymen, j'y consens ; mais du moins
     Ne forcez pas mes yeux d'en être les témoins.
     Pour la dernière fois je vous parle peut-être.
     Différez-le d'un jour, demain vous serez maître.
1375 Vous ne répondez point ? Perfide, je le vois,
     Tu comptes les moments que tu perds avec moi.
     Ton cœur, impatient de revoir ta Troyenne,
     Ne souffre qu'à regret qu'un autre t'entretienne.

---

1. Affront subi.

Tu lui parles du cœur, tu la cherches des yeux.
1380 Je ne te retiens plus, sauve-toi de ces lieux,
Va lui jurer la foi que tu m'avais jurée,
Va profaner des dieux la majesté sacrée.
Ces dieux, ces justes dieux n'auront pas oublié
Que les mêmes serments avec moi t'ont lié.
1385 Porte au pied des autels ce cœur qui m'abandonne.
Va, cours ; mais crains encor d'y trouver Hermione.

Scène 6

PYRRHUS, PHŒNIX

PHŒNIX

Seigneur, vous entendez. Gardez de négliger
Une amante en fureur, qui cherche à se venger.
Elle n'est en ces lieux que trop bien appuyée :
1390 La querelle des Grecs à la sienne est liée ;
Oreste l'aime encore. Et peut-être à ce prix...

PYRRHUS

Andromaque m'attend. Phœnix, garde son fils.

Acte V

Scène I

HERMIONE, *seule*

Où suis-je ? Qu'ai-je fait ? Que dois-je faire encore ?
Quel transport me saisit ? Quel chagrin me dévore ?
1395 Errante, et sans dessein, je cours dans ce palais.
Ah ! ne puis-je savoir si j'aime, ou si je hais ?
Le cruel ! de quel œil il m'a congédiée !
Sans pitié, sans douleur au moins étudiée[1].
L'ai-je vu se troubler et me plaindre un moment ?
1400 En ai-je pu tirer un seul gémissement ?
Muet à mes soupirs, tranquille à mes alarmes,
Semblait-il seulement qu'il eût part à mes larmes ?
Et je le plains encore ? Et pour comble d'ennui
Mon cœur, mon lâche cœur s'intéresse pour lui ?
1405 Je tremble au seul penser du coup qui le menace ?
Et prête à me venger, je lui fais déjà grâce ?
Non, ne révoquons point l'arrêt de mon courroux :
Qu'il périsse. Aussi bien il ne vit plus pour nous.
Le perfide triomphe, et se rit de ma rage :
1410 Il pense voir en pleurs dissiper cet orage ;

---

1. Simulée.

Il croit que toujours faible et d'un cœur incertain,
Je parerai d'un bras les coups de l'autre main.
Il juge encor de moi par mes bontés passées.
Mais plutôt le perfide a bien d'autres pensées :
1415 Triomphant dans le temple, il ne s'informe pas
Si l'on souhaite ailleurs sa vie, ou son trépas.
Il me laisse, l'ingrat ! cet embarras funeste.
Non, non, encore un coup, laissons agir Oreste.
Qu'il meure, puisque enfin il a dû le prévoir,
1420 Et puisqu'il m'a forcée enfin à le vouloir.
À le vouloir ? Hé quoi ? C'est donc moi qui l'ordonne ?
Sa mort sera l'effet de l'amour d'Hermione ?
Ce prince, dont mon cœur se faisait autrefois,
Avec tant de plaisir, redire les exploits,
1425 À qui même en secret je m'étais destinée
Avant qu'on eût conclu ce fatal hyménée,
Je n'ai donc traversé tant de mers, tant d'États,
Que pour venir si loin préparer son trépas,
L'assassiner, le perdre ? Ah ! devant qu'il expire...

Scène 2

HERMIONE, CLÉONE

HERMIONE

1430 Ah ! qu'ai-je fait, Cléone ? Et que viens-tu me dire ?
Que fait Pyrrhus ?

CLÉONE

                    Il est au comble de ses vœux,
Le plus fier des mortels, et le plus amoureux.
Je l'ai vu vers le temple, où son hymen s'apprête,

Mener en conquérant sa nouvelle conquête,
1435 Et d'un œil où brillaient sa joie et son espoir,
S'enivrer, en marchant, du plaisir de la voir.
Andromaque, au travers de mille cris de joie,
Porte jusqu'aux autels le souvenir de Troie.
Incapable toujours d'aimer et de haïr,
1440 Sans joie, et sans murmure elle semble obéir.

HERMIONE

Et l'ingrat ? Jusqu'au bout il a poussé l'outrage ?
Mais as-tu bien, Cléone, observé son visage ?
Goûte-t-il des plaisirs tranquilles et parfaits ?
N'a-t-il point détourné ses yeux vers le palais ?
1445 Dis-moi, ne t'es-tu point présentée à sa vue ?
L'ingrat a-t-il rougi lorsqu'il t'a reconnue ?
Son trouble avouait-il son infidélité ?
A-t-il jusqu'à la fin soutenu[1] sa fierté ?

CLÉONE

Madame, il ne voit rien. Son salut, et sa gloire
1450 Semblent être avec vous sortis de sa mémoire.
Sans songer qui le suit, ennemis ou sujets,
Il poursuit seulement ses amoureux projets.
Autour du fils d'Hector il a rangé sa garde,
Et croit que c'est lui seul que le péril regarde.
1455 Phœnix même en répond, qui l'a conduit exprès
Dans un fort éloigné du temple et du palais.
Voilà, dans ses transports, le seul soin qui lui reste.

HERMIONE

Le perfide ! Il mourra. Mais que t'a dit Oreste ?

---

1. Persévéré dans.

CLÉONE

Oreste, avec ses Grecs, dans le temple est entré.

HERMIONE

1460 Hé bien ? à me venger n'est-il pas préparé ?

CLÉONE

Je ne sais.

HERMIONE

Tu ne sais ? Quoi donc ? Oreste encore,
Oreste me trahit ?

CLÉONE

Oreste vous adore.
Mais de mille remords son esprit combattu
Croit tantôt son amour, et tantôt sa vertu.
1465 Il respecte en Pyrrhus l'honneur du diadème ;
Il respecte en Pyrrhus Achille, et Pyrrhus même ;
Il craint la Grèce, il craint l'univers en courroux.
Mais il se craint, dit-il, soi-même plus que tous.
Il voudrait en vainqueur vous apporter sa tête ;
1470 Le seul nom d'assassin l'épouvante et l'arrête.
Enfin il est entré, sans savoir dans son cœur
S'il en devait sortir coupable, ou spectateur.

HERMIONE

Non, non, il les verra triompher sans obstacle,
Il se gardera bien de troubler ce spectacle.
1475 Je sais de quels remords son courage est atteint :
Le lâche craint la mort, et c'est tout ce qu'il craint.
Quoi ? sans qu'elle employât une seule prière,
Ma mère en sa faveur arma la Grèce entière ?

Ses yeux pour leur querelle, en dix ans de combats,
1480 Virent périr vingt rois qu'ils ne connaissaient pas ?
Et moi je ne prétends[1] que la mort d'un parjure,
Et je charge un amant du soin de mon injure,
Il peut me conquérir à ce prix, sans danger,
Je me livre moi-même, et ne puis me venger ?
1485 Allons : c'est à moi seule, à me rendre justice.
Que de cris de douleur le temple retentisse ;
De leur hymen fatal troublons l'événement,
Et qu'ils ne soient unis, s'il se peut, qu'un moment.
Je ne choisirai point dans ce désordre extrême :
1490 Tout me sera Pyrrhus, fût-ce Oreste lui-même.
Je mourrai ; mais au moins ma mort me vengera,
Je ne mourrai pas seule, et quelqu'un me suivra.

Scène 3

ORESTE, HERMIONE, CLÉONE

ORESTE

Madame, c'en est fait, et vous êtes servie :
Pyrrhus rend à l'autel son infidèle vie.

HERMIONE

1495 Il est mort ?

ORESTE

Il expire ; et nos Grecs irrités
Ont lavé dans son sang ses infidélités.
Je vous l'avais promis ; et quoique mon courage

----
1. Je ne demande.

Se fît de ce complot une funeste image,
J'ai couru vers le temple, où nos Grecs dispersés
1500 Se sont jusqu'à l'autel dans la foule glissés.
Pyrrhus m'a reconnu. Mais sans changer de face,
Il semblait que ma vue excitât son audace,
Que tous les Grecs bravés en leur ambassadeur
Dussent de son hymen relever la splendeur.
1505 Enfin, avec transport prenant son diadème,
Sur le front d'Andromaque il l'a posé lui-même :
Je vous donne, a-t-il dit, ma couronne et ma foi,
Andromaque, régnez sur l'Épire et sur moi.
Je voue à votre fils une amitié de père,
1510 J'en atteste les dieux, je le jure à sa mère :
Pour tous mes ennemis je déclare les siens,
Et je le reconnais pour le roi des Troyens.
À ces mots, qui du peuple attiraient le suffrage,
Nos Grecs n'ont répondu que par un cri de rage ;
1515 L'infidèle s'est vu partout envelopper,
Et je n'ai pu trouver de place pour frapper.
Chacun se disputait la gloire de l'abattre.
Je l'ai vu dans leurs mains quelque temps se débattre,
Tout sanglant à leurs coups vouloir se dérober,
1520 Mais enfin à l'autel il est allé tomber.
Du peuple épouvanté j'ai traversé la presse[1]
Pour venir de ces lieux enlever ma princesse,
Et regagner le port, où bientôt nos amis
Viendront couverts du sang que je vous ai promis.

HERMIONE

1525 Qu'ont-ils fait !

---

1. Foule.

ORESTE

      Pardonnez à leur impatience :
Ils ont, je le vois bien, trahi votre vengeance.
Vous vouliez que ma main portât les premiers coups,
Qu'il sentît en mourant qu'il expirait pour vous ;
Mais c'est moi dont l'ardeur leur a servi d'exemple :
1530 Je les ai pour vous seule entraînés dans le temple,
Madame, et vous pouvez justement vous flatter
D'une mort que leurs bras n'ont fait qu'exécuter.
Vous seule avez poussé les coups...

HERMIONE

                    Tais-toi, perfide.
Et n'impute qu'à toi ton lâche parricide.
1535 Va faire chez tes Grecs admirer ta fureur,
Va, je la désavoue, et tu me fais horreur.
Barbare, qu'as-tu fait ? Avec quelle furie
As-tu tranché le cours d'une si belle vie ?
Avez-vous pu, cruels, l'immoler aujourd'hui,
1540 Sans que tout votre sang se soulevât pour lui ?
Mais parle : de son sort qui t'a rendu l'arbitre ?
Pourquoi l'assassiner ? Qu'a-t-il fait ? À quel titre ?
Qui te l'a dit ?

ORESTE

           Ô dieux ! Quoi ? ne m'avez-vous pas
Vous-même, ici, tantôt, ordonné son trépas ?

HERMIONE

1545 Ah ! fallait-il en croire une amante insensée ?
Ne devais-tu pas lire au fond de ma pensée ?
Et ne voyais-tu pas dans mes emportements
Que mon cœur démentait ma bouche à tous
    moments ?
Quand je l'aurais voulu, fallait-il y souscrire ?

1550 N'as-tu pas dû cent fois te le faire redire,
Toi-même avant le coup me venir consulter,
Y revenir encore, ou plutôt m'éviter ?
Que ne me laissais-tu le soin de ma vengeance ?
Qui[1] t'amène en des lieux où l'on fuit ta présence ?
1555 Voilà de ton amour le détestable fruit :
Tu m'apportais, cruel, le malheur qui te suit.
C'est toi dont l'ambassade, à tous les deux fatale
L'a fait pour son malheur pencher vers ma rivale.
Nous le verrions encor nous partager ses soins ;
1560 Il m'aimerait peut-être, il le feindrait du moins.
Adieu. Tu peux partir. Je demeure en Épire :
Je renonce à la Grèce, à Sparte, à son empire,
À toute ma famille ; et c'est assez pour moi,
Traître, qu'elle ait produit un monstre comme toi.

Scène 4

ORESTE, *seul*

1565 Que vois-je ? Est-ce Hermione ! Et que viens-je
    d'entendre ?
Pour qui coule le sang que je viens de répandre ?
Je suis, si je l'en crois, un traître, un assassin.
Est-ce Pyrrhus qui meurt ? et suis-je Oreste enfin ?
Quoi ? j'étouffe en mon cœur la raison qui m'éclaire.
1570 J'assassine à regret un roi que je révère,
Je viole en un jour les droits des souverains,
Ceux des ambassadeurs, et tous ceux des humains ;
Ceux même des autels, où ma fureur l'assiège :
Je deviens parricide, assassin, sacrilège.
1575 Pour qui ? pour une ingrate, à qui je le promets,

----

1. Qu'est-ce qui.

Qui même, s'il ne meurt, ne me verra jamais,
Dont j'épouse la rage. Et quand je l'ai servie,
Elle me redemande et son sang et sa vie !
Elle l'aime ! et je suis un monstre furieux !
1580 Je la vois pour jamais s'éloigner de mes yeux.
Et l'ingrate, en fuyant, me laisse pour salaire
Tous les noms odieux que j'ai pris pour lui plaire !

Scène 5

ORESTE, PYLADE, soldats d'Oreste

PYLADE

Il faut partir, Seigneur. Sortons de ce palais,
Ou bien résolvons-nous de n'en sortir jamais.
1585 Nos Grecs pour un moment en défendent la porte ;
Tout le peuple assemblé nous poursuit à main-forte ;
Aux ordres d'Andromaque ici tout est soumis,
Ils la traitent en reine, et nous comme ennemis.
Andromaque elle-même, à Pyrrhus si rebelle,
1590 Lui rend tous les devoirs d'une veuve fidèle,
Commande qu'on le venge, et peut-être sur nous
Veut venger Troie encore et son premier époux.
Allons. N'attendons pas que l'on nous environne :
Nos Grecs nous rejoindront ; et tandis qu'Hermione
1595 Tient encore le peuple autour d'elle arrêté,
Voilà notre chemin, sortons en sûreté.

ORESTE

Non, non, c'est Hermione, amis, que je veux suivre.
À son dernier arrêt je ne puis plus survivre.
Partez : j'ai fait le crime, et je vais l'expier.

PYLADE

1600 Hermione, Seigneur ? Il la faut oublier.
Quoi ! toujours l'instrument et l'objet de sa rage,
Cherchez-vous chez les morts quelque nouvel outrage ?
Et parce qu'elle meurt faut-il que vous mouriez ?

ORESTE

Elle meurt ? Dieux ! qu'entends-je ?

PYLADE

                                    Eh quoi ? vous l'ignoriez ?
1605 En rentrant dans ces lieux nous l'avons rencontrée
Qui courait vers le temple, inquiète, égarée.
Elle a trouvé Pyrrhus porté sur des soldats
Que son sang excitait à venger son trépas.
Sans doute à cet objet sa rage s'est émue.
1610 Mais du haut de la porte enfin nous l'avons vue,
Un poignard à la main, sur Pyrrhus se courber,
Lever les yeux au ciel, se frapper et tomber.

ORESTE

Grâce aux dieux ! Mon malheur passe mon espérance.
Oui, je te loue, ô ciel ! de ta persévérance.
1615 Appliqué sans relâche au soin de me punir,
Au comble des douleurs tu m'as fait parvenir.
Ta haine a pris plaisir à former ma misère ;
J'étais né pour servir d'exemple à ta colère,
Pour être du malheur un modèle accompli.
1620 Hé bien, je meurs content, et mon sort est rempli.
Où sont ces deux amants ? Pour couronner ma joie,
Dans leur sang, dans le mien, il faut que je me noie ;
L'un et l'autre en mourant je les veux regarder :
Réunissons trois cœurs qui n'ont pu s'accorder.
1625 Mais quelle épaisse nuit tout à coup m'environne ?

De quel côté sortir ? D'où vient que je frissonne ?
Quelle horreur me saisit ? Grâce au ciel j'entrevoi.
Dieux ! quels ruisseaux de sang coulent autour de moi !

PYLADE

Ah ! Seigneur !

ORESTE

   Quoi, Pyrrhus, je te rencontre encore ?
1630 Trouverai-je partout un rival que j'abhorre ?
Percé de tant de coups, comment t'es-tu sauvé ?
Tiens, tiens, voilà le coup que je t'ai réservé.
Mais que vois-je ? À mes yeux Hermione l'embrasse !
Elle vient l'arracher au coup qui le menace ?
1635 Dieux, quels affreux regards elle jette sur moi !
Quels démons, quels serpents traîne-t-elle après soi ?
Eh bien, filles d'enfer[1], vos mains sont-elles prêtes ?
Pour qui sont ces serpents qui sifflent sur vos têtes ?
À qui destinez-vous l'appareil[2] qui vous suit ?
1640 Venez-vous m'enlever dans l'éternelle nuit ?
Venez, à vos fureurs Oreste s'abandonne.
Mais non, retirez-vous, laissez faire Hermione.
L'ingrate mieux que vous saura me déchirer,
Et je lui porte enfin mon cœur à dévorer.

PYLADE

1645 Il perd le sentiment[3]. Amis, le temps nous presse.
Ménageons les moments que ce transport nous laisse.
Sauvons-le. Nos efforts deviendraient impuissants
S'il reprenait ici sa rage avec ses sens.

---

1. Il s'agit des Erinyes, déesses de la vengeance aux longs cheveux entremêlés de serpents.
2. Tout ce qui accompagne.
3. La raison.

Du tableau

au texte

Valérie Lagier

Du tableau au texte

Andromaque de
Georges-Antoine Rochegrosse

… toute la gamme des passions…

Andromaque a été mise en scène et jouée pour la première fois à la cour de Louis XIV, dans les appartements privés de la reine, le 17 novembre 1667. Le public admis à cette représentation inaugurale est alors composé des seuls gentilshommes et dames de la cour honorés par le roi d'une invitation. Donnée dès le surlendemain à l'Hôtel de Bourgogne, la pièce consacre immédiatement le succès public de Racine, qui se retrouve dès lors propulsé par ses contemporains au rang de rénovateur d'un genre, la tragédie. Car s'il puise aux sources antiques, Homère, Virgile, Euripide, ou Sénèque, Racine n'en prend pas moins quelques libertés avec la tradition historique. Ainsi, Astyanax, fils d'Hector et d'Andromaque, que les auteurs antiques font mourir de la main d'Ulysse (ou de Pyrrhus) qui le précipite du haut des remparts de Troie, devient chez Racine le personnage clé du drame, enjeu de toutes les disputes entre les Grecs et Pyrrhus, puis entre Pyrrhus et Andromaque. Pour les Grecs, Astyanax est « *cet enfant dont la vie alarme tant d'États* », quand Andromaque voit en lui « *le seul bien qui* [*lui*] *reste et d'Hector et de Troie* ». Il est enfin pour Pyrrhus l'instrument d'un

véritable chantage psychologique exercé à l'encontre
d'Andromaque : « *Le fils me répondra des mépris de la
mère* », dit-il lorsque celle-ci refuse ses avances, mais il
ajoute, lorsque Andromaque, pour sauver son enfant
de la mort, se laisse enfin fléchir et accepte de l'épouser : « *Je voue à votre fils une amitié de père.* » Ce n'est pas
seulement dans cette infidélité à la tradition antique,
reprochée par ses détracteurs, que réside l'originalité
de l'œuvre de Racine. Son apport le plus novateur à la
tradition théâtrale est avant tout cette capacité à mettre en lumière les ressorts psychologiques d'un drame
dont les justifications apparentes sont politiques. Dé-
cortiquant l'inéluctable tourbillon de passions qui conduit les êtres à se déchirer et à se battre, Racine se livre
ici à une analyse sans concession de la guerre, pointant
les raisons inconscientes à l'œuvre dans chaque conflit.
Car à travers l'histoire de Pyrrhus, Andromaque,
Oreste et Hermione, Racine nous raconte une histoire
d'humains, avec la précision d'un scientifique étudiant
les réactions de rats de laboratoire soumis à des pres-
sions psychologiques diverses. Jalousie, désespoir, orgueil, rancune, désir, toute la gamme des passions
organise leurs actes et explique l'implacable déroulement des événements qui les conduit au drame final :
le meurtre de Pyrrhus, le suicide d'Hermione et la
guerre entre Grecs et guerriers de l'Épire, soudés
autour d'Andromaque. Ses héros, pourtant hors du
commun, sont donc mus par des sentiments souvent
dénués de toute noblesse. Chez eux, la raison politique
s'efface derrière la raison du cœur. Et si la tragédie de
Racine répond bien aux règles de la bienséance,
conforme aux exigences de l'époque, en ne montrant
sur scène ni sang ni geste meurtrier, le verbe de Racine, ciselé et précis, d'une simplicité trompeuse, n'en

transpire pas moins d'une incroyable violence, habile-
ment contenue dans les cadres policés de l'alexandrin.

... Cette vision de sang et de cendres qui hante toutes les
mémoires...

Car si le sang ne coule pas dans les différents épiso-
des de la pièce, il imprègne les esprits de chacun des
protagonistes. Chacun conserve, dans un repli de sa
mémoire, en toile de fond du drame, la scène terrible
de l'incendie de Troie, du meurtre des Troyens et de
leur chef Hector, et enfin de l'enlèvement d'Astyanax
et d'Andromaque. Cette vision de sang et de cendres
qui hante toutes les mémoires est un constant souvenir
d'horreur pour Andromaque, qui y puise des forces
pour résister aux avances de Pyrrhus, meurtrier de son
mari : « *Figure-toi Pyrrhus les yeux étincelants,/ Entrant à la*
lueur de nos palais brûlants ;/ Sur tous mes frères morts se
faisant un passage,/ Et de sang tout couvert échauffant le
carnage », dit-elle à sa confidente Céphise. Pyrrhus, ob-
sédé par le même souvenir, s'interroge pourtant,
remué par l'amour qu'il voue à Andromaque, sur le
sens de ces événements funestes et passés : « *Quel fut le*
sort de Troie, et quel est son destin. / Je ne vois que des tours
que la cendre a couvertes, / Un fleuve teint de sang, des cam-
pagnes désertes, / Un enfant dans les fers... » La ville fan-
tôme, Troie, théâtre de larmes et de sang, nœud de
toutes les haines, échappe ainsi à la destruction
puisqu'elle se reconstruit à chaque phrase de la tragédie, à travers les propos croisés de Pyrrhus, d'Andromaque, d'Hermione, d'Oreste ou de Phénix. Et c'est
cette scène, absente de la tragédie de Racine mais présente aux esprits de ses personnages, véritable prélude

à la tuerie finale, que Georges-Antoine Rochegrosse
s'est attaché à recréer, avec une précision archéologique et un brutal réalisme, dans son immense toile inti-
tulée *Andromaque*, présentée au Salon des artistes
français en 1883.

… La vertigineuse diagonale ascendante de l'escalier…

Ici, ce qui n'était qu'un souvenir obsédant dans l'esprit des protagonistes de la pièce devient une effroya-
ble réalité : le sang coule et les cris fusent, les gestes et
les expressions des visages sont d'une violence explo-
sive, comme si l'artiste ne voulait rien nous laisser
ignorer de la souffrance des victimes et de la barbarie
de leurs bourreaux. Le format de la toile (479 × 335
cm) place le spectateur dans l'impossibilité de fuir,
d'échapper à l'horreur, tout comme le choix de l'artiste de garnir le premier plan de détails d'une insou-
tenable cruauté : l'alignement de cadavres nus et
l'entassement des têtes, vraisemblablement séparées de
leurs bustes sur le rebord de la rampe d'escalier, billot
improvisé et encore ensanglanté. Une rangée de corps
pendus, dont seuls les pieds nous révèlent la macabre
présence, vient compléter le lugubre décor. Les va-
peurs rouges qui irradient la partie droite de la scène
sont un écho des flammes qui anéantissent Troie et la
réduisent en cendres. La vertigineuse diagonale ascendante de l'escalier oblige le regard du spectateur à
progresser dans l'image et à découvrir, avec une den-
sité d'informations visuelles qui ne laisse de répit ni à
l'œil ni aux nerfs, les tenants et les aboutissants du
drame. Plusieurs soldats empoignent avec fermeté le
corps arc-bouté d'Andromaque, tout entier tendu vers

son fils Astyanax, prisonnier d'un guerrier grec qui est en train de l'enlever. Notre œil ne peut que suivre la direction vers laquelle il l'entraîne, en haut de l'escalier où une silhouette inquiétante clôt la perspective et se découpe sur la clarté du ciel. Est-ce Ulysse ? Est-ce Pyrrhus ? Rien ne nous permet de trancher. Cet homme va-t-il, comme le racontent les tragédies antiques, précipiter l'enfant du haut de la muraille, ou comme l'affirme Racine, l'enlever comme butin et l'emporter en Épire en même temps que sa mère ? La charge dramatique insufflée par l'artiste à l'image ne nous incite guère, de toute façon, à imaginer à cet épisode une issue heureuse pour Andromaque et son fils. Le sang qui dégouline, les gestes brutaux et l'expression grimaçante des guerriers grecs, la tension du bras d'Andromaque qui nous désigne la menace incarnée par la silhouette sombre, tout nous prépare à accepter un destin funeste pour nos deux héros.

… une théâtralité exacerbée…

Si l'*Andromaque* de Rochegrosse n'est en aucune façon une illustration de la pièce, puisque la scène qu'elle dépeint n'y figure qu'en filigrane, elle n'est pourtant pas sans dette à l'égard de l'œuvre de Racine. Tragédie en image, ce tableau est empreint d'une théâtralité exacerbée, bien éloignée du naturel et de la véracité d'expression observés dans une scène saisie sur le vif. Les personnages n'y sont pas épiés à leur insu et croqués par le peintre, tout sent la pose et l'artifice, les gestes sont exagérés, les expressions grandiloquentes, comme dans une pièce de théâtre. Portée à la scène pendant plus de deux cents ans depuis sa publi-

cation en 1668, la tragédie de Racine appartient au ré-
pertoire classique et, lorsque Rochegrosse réalise son
Andromaque en 1882, elle est depuis longtemps deve-
nue une référence incontournable pour tout artiste
s'engageant sur la voie d'une interprétation du thème.
C'est fort de cet héritage que l'artiste impose à ses personnages une gestuelle affectée, digne des acteurs de
tragédie. Ceux-ci jouent leur scène plus qu'ils ne la vi-
vent, dans un décor, des costumes et des accessoires
qui, par leur réalisme et leur précision archéologique,
cherchent à contredire cette artificialité. Car la Troie
de Rochegrosse est directement inspirée de la ville
réelle, découverte entre 1868 et 1873 par Heinrich
Schliemann, archéologue allemand lancé, tel un ex-
plorateur, sur les traces de la cité jusque-là considérée
comme une invention d'Homère. Le résultat de ses
fouilles — souvent plus proches dans leur démarche
du pillage archéologique que de la recherche scientifique — est publié en 1878 et c'est dans cet ouvrage que
Rochegrosse puise des détails réalistes, propres à ac-
centuer l'historicité de son tableau.

… « les curiosités archéologiques de M. Rochegrosse »…

Ainsi, le svastika, cantonné de quatre points, qui
orne le bas de la rampe du monumental escalier de
pierre, est-il directement copié d'une planche du livre
ainsi que le dessin de certaines armes des soldats grecs.
Mais l'emprunt le plus remarquable de l'artiste aux
découvertes archéologiques de Schliemann est certainement la parure d'Andromaque, ce diadème d'or,
ces boucles d'oreilles et ce collier, appartenant au fa-
buleux trésor, passé à la postérité sous le nom de

« Trésor de Priam », et découvert dans les ruines de Troie en 1873. Si l'on sait aujourd'hui que ce trésor ne peut être contemporain de la Troie d'Homère et le précède de près de deux mille ans, il n'en avait pas moins, lors de sa découverte, un caractère éminemment historique, et apparaissait aux yeux du public comme une véritable source de connaissances sur les objets quotidiens des Troyens vivant à l'époque d'Andromaque. Cette volonté de faire « vrai » est chez Rochegrosse parfois prise en défaut, lorsque les sources manquent. Lorsqu'il s'agit de donner un costume et une coiffure aux Grecs, l'artiste invente ce qu'il ne peut connaître, faute de documents. Ces approximations historiques lui seront ironiquement reprochées par la critique, lors de la présentation de l'œuvre au Salon des artistes français en 1883. Ainsi, le journaliste de *La Gazette des Beaux-Arts,* tout en louant les qualités plastiques du tableau, exprime ainsi ses inquiétudes : « *Ce ne sont pas les curiosités archéologiques de M. Rochegrosse qui lui ont fait affubler ses guerriers grecs de casques ressemblant à des casseroles, ou d'aigrettes ressemblant à des coiffures de Peaux-Rouges ; j'imagine que le bon Homère serait bien surpris s'il pouvait les voir !* » Les vertus artistiques du tableau sont ailleurs, dans la « furia *véritable de mouvement et de couleur* » qui, selon lui, rapproche l'artiste de Delacroix.

… donner à voir la violence des hommes…

Réalisé par un artiste à peine âgé de vingt-quatre ans, ce tableau remporte au Salon un succès éclatant, car il incarne admirablement le goût du public, sous la Troisième République, pour une peinture pétrie d'histoire antique, néanmoins servie par un réalisme sans concession. *Andromaque* vaudra d'ailleurs à son auteur une médaille de seconde classe. Peinture pompier, savante et documentée, cette œuvre vaut aujourd'hui pour nous par sa capacité à mettre en scène les horreurs de la guerre sans chercher à les glorifier sous des dehors respectables. Cette volonté de donner à voir la violence des hommes, habités par leurs passions et conduits par elles à des extrémités funestes, rejoint celle de Racine, soucieux, tout au long de sa pièce, de nous préparer au pire, de nous faire accepter ce qu'a d'inéluctable l'effusion de sang de la fin. Car le drame de l'Épire, qui oppose les Grecs à Pyrrhus, puis à tout son peuple, rassemblé autour d'Andromaque, s'est joué bien avant, dans les mémoires, à Troie, dix ans plus tôt. L'histoire se répète, et la vengeance est une histoire sans fin. La guerre de Troie était causée par l'enlèvement d'Hélène, celle de l'Épire, de la répudiation de sa fille Hermione, par le vainqueur de Troie qui lui préfère Andromaque. Et en prenant le parti de l'Épire, une fois mariée à Pyrrhus, Andromaque veut venger ce dernier assassiné, mais aussi son premier mari Hector, mort sous les coups de son père Achille. Pylade, dans la scène finale, nous donne la preuve que les deux drames sont liés : « *Andromaque elle-même, à Pyrrhus si rebelle, / Lui rend tous les devoirs d'une veuve fidèle,/ Commande qu'on le venge, et peut-être sur nous / Veut venger Troie encore et son premier époux.* » Aucun hasard ne mène le monde ni les guerres, et si Rochegrosse et Racine, parlant de la même Andromaque, se rejoignent si bien, c'est qu'ils ont su tous deux, partant de sources antiques, insuffler à cette héroïne une capacité à déchaîner les passions, convoitises et rancunes, qui organisent le destin des hommes.

Le texte

en perspective

Aurélie Barre
Olivier Leplâtre

Mouvement littéraire

Andromaque, ou l'avènement du classicisme

LE SUCCÈS CONSIDÉRABLE que connut Racine en faisant jouer, à la fin de 1667, sa pièce *Andromaque* par les comédiens de l'Hôtel de Bourgogne révèle l'essor depuis 1660 d'une nouvelle conscience esthétique que nous nommons aujourd'hui « classique » et qui, sur près de vingt-cinq années, se développa comme l'apothéose d'une culture.

Par de nombreux aspects qui ne doivent cependant pas masquer la continuité de Racine dans son temps, *Andromaque* témoigne de changements par rapport au goût qui avait jusque-là dominé l'époque et que le modèle des tragédies de Corneille avait notamment exprimé. Que l'on regarde ensemble *Le Cid* représenté trente ans plus tôt (1637) et *Andromaque*. C'est apparemment, dans les deux pièces, la même violence des dilemmes qui déchire les personnages : Chimène et Rodrigue parce que leur devoir se heurte à l'élan de leur amour ; Oreste, Hermione ou Pyrrhus parce leur raison est secouée par l'irrationalité de leurs passions pendant qu'Andromaque, dans une longue plainte qui est la basse continue de la tragédie, ne cesse de pleurer Hector. Pourtant bien des différences sont perceptibles chez Racine : la simplicité de l'intrigue où n'interviennent plus les exploits héroïques et les problématiques politiques de la dramaturgie cornélienne ; la faiblesse passionnelle des héros susceptible de les faire plaindre sans les présenter, malgré leurs crimes, comme des monstres ; le souci d'une langue épurée et poétique grâce à laquelle l'exacerbation des sentiments, sans contrevenir à la bienséance, imprime le plus grand effet sur le spectateur…

Ces choix, qui touchent autant la langue littéraire que la sensibilité, font d'*Andromaque* un exemple pour appréhender la recherche esthétique et les convictions de la génération classique qui ne se constitua jamais en école et ne fournit pas, comme d'autres mouvements, de manifeste pour porter ses aspirations et déterminer ses règles.

Succédant au mouvement baroque qui s'étend approximativement de la fin du XVIe siècle aux trente premières années du XVIIe siècle, le classicisme rompt avec son esthétique et sa vision du monde. Le baroque fait triompher le mouvement, les miroitements des apparences et des métamorphoses en écho avec un univers ressenti comme instable, fragile et complexe, et dont la vérité semble inaccessible ; le classicisme, au contraire, aspire à la norme, à la stabilité, il se méfie des jeux formels et du seul plaisir des sens : son image est peut-être celle du jardin à la française, où la nature fait d'autant mieux apparaître sa beauté qu'elle est domestiquée et organisée par la raison.

En 1665, le célèbre architecte et sculpteur italien Bernin imagine un dessin de façade pour le Louvre. Mais on lui reproche son projet jugé trop fastueux et Claude Perrault est préféré à Bernin. La forme dépouillée de la colonnade qu'il érige est considérée

comme le symbole même du classicisme. Elle situe le
goût qui prévaut en cette moitié du siècle et qui
tourne le dos à la profusion des arabesques et des lignes surchargées du baroque.

1.

L'équilibre de la monarchie

L e classicisme fait se confondre un moment essentiel de l'histoire des idées et de la littérature avec
une période politique où la monarchie de Louis XIV,
alors en pleine gloire, établit sa puissance absolue et
met en place un soutien aux arts qui leur assure un ex-
traordinaire rayonnement.

1. *Louis XIV, roi absolu*

Lorsque son Premier ministre, le cardinal Mazarin,
meurt en 1661, Louis XIV a vingt ans. Il décide de
concentrer sur lui tous les pouvoirs, ce qui suppose
d'affaiblir la noblesse. Il prend appui sur des membres
de la bourgeoisie pour occuper les postes ministériels
essentiels ; il isole la grande noblesse à la cour du Louvre puis de Versailles.

Sur le plan religieux et social, Louis XIV cherche à
réduire les particularismes pour homogénéiser la
nation sous son autorité. Il soutient la prospérité
économique dont il charge son ministre Colbert : il
fait améliorer les réseaux de circulation, fonde le système des manufactures (sortes d'entreprises d'État)...
À l'extérieur, il conduit une politique expansion-
niste, mène des guerres contre l'Espagne, l'Autriche

ou la Hollande, et assure ainsi sa prépondérance en Europe.

2. *Les symboles du politique*

Mais la grandeur de la monarchie ne s'exprime pas seulement à travers des décisions politiques. Pour Louis XIV, elle doit s'imposer par le prestige de ses symboles. Le roi exerce donc un contrôle sur la culture dont il fait l'instrument de sa propagande. Il distribue des pensions et des gratifications aux artistes, crée des académies qui encadrent les secteurs intellectuels et veille en tous domaines à l'exaltation de son règne. Cette activité de mécénat se double de la volonté royale d'intervenir sur les grandes orientations esthétiques et d'en fixer les lois comme en font la démonstration les fêtes des *Plaisirs de l'Île enchantée*, célébrées en mai 1667, où le roi en personne prend part aux ballets et orchestre les divertissements.

Dans le contexte de cette mainmise souvent autoritaire, apparaissent les écrivains classiques dont les personnalités majeures sont symboliquement représentées dans la « Chambre sublime » offerte en 1675 par Madame de Thianges au duc du Maine, son neveu, fils de Louis XIV et de Madame de Montespan. Il s'agissait d'un jouet avec des poupées de cire parmi lesquelles étaient figurés, outre Madame de Thianges, Madame de Lafayette et la future Madame de Maintenon, La Rochefoucauld et son fils, Bossuet, Boileau, Racine et La Fontaine. Il faudrait sans doute, pour compléter cette liste des classiques, ajouter Molière, La Bruyère ou encore Charles Perrault...

La politique culturelle royale assiste les écrivains par ses protections, par ses aides financières qui sont autant de puissants stimulants aux carrières littéraires. Surtout, l'esprit de la monarchie, son désir de centralisation, d'ordre et de règle, son sens de l'absolu et de la grandeur imprègnent les sensibilités et deviennent les modèles d'un défi culturel que relèvent les artistes.

2.

Les fondements du classicisme

Le classicisme prend sa source dans l'humanisme de la Renaissance, dans la relecture des grandes œuvres antiques sur lesquelles repose tout le système éducatif du XVII⁵ siècle (collèges des jésuites et des oratoriens, académies des protestants). La culture latine et grecque irrigue le classicisme.

1. *L'âge de l'éloquence*

La civilisation antique fournit aux classiques ses modèles rhétoriques, empruntés aux traités de Cicéron, de Quintilien et à l'ouvrage d'Aristote, la *Rhétorique,* où les classiques, croyant à la vertu et à la beauté du bien dire, puisent l'essentiel de leurs règles. Au Grand Siècle, l'art de l'écrivain est inséparable de celui de l'orateur car tous deux entendent toucher et persuader un public au moyen des artifices du langage. La rhétorique propose des plans de discours selon un ordre logique : l'orateur introduit son discours en captant la bienveillance de son auditoire (partie d'**exorde**) ; puis il raconte les faits (partie dite de **narration**), présente ses arguments (partie de **confirmation**) ; enfin il conclut dans la **péroraison**. L'adresse d'Oreste à Pyrrhus est un exemple de discours organisé selon les lois rhétoriques : il commence par un exorde aux vers 143-150 ; puis Oreste appuie sa narration sur plusieurs arguments de confirmation avant d'achever sa démonstration par la péroraison des vers 169-172.

Outre ces règles de disposition, la rhétorique établit des répertoires de figures qui ornent la parole et lui donnent sa couleur poétique ; elle fixe encore les types de discours selon le dessein de l'orateur : le discours est **délibératif** s'il vise à dégager des choix (c'est la fonction, par exemple, du monologue d'Hermione à la scène 1 de l'acte V d'*Andromaque*) ; il est **judiciaire** s'il accuse ou défend (comme lorsque Andromaque implore pitié à Hermione pour la défense de son fils à la scène 5 de l'acte III) ; enfin, il est **démonstratif** s'il loue ou blâme (ainsi quand Oreste arrive en ambassadeur auprès de Pyrrhus, à la scène 2 de l'acte I [vers 143-172], et qu'il alterne éloges et reproches).

2. *La théorie de l'imitation*

À l'Antiquité, les classiques reprennent une conception de la littérature fondée sur l'imitation. Virgile ou Cicéron définissaient le projet littéraire comme une réécriture de textes antérieurs prestigieux. D'après cette théorie, la création au XVIIᵉ siècle commence par l'assimilation des grands textes anciens avec lesquels les écrivains doivent rivaliser ; elle ne se pense donc pas d'abord comme une tentative absolument originale mais davantage comme une reprise, une reformulation, voire un enrichissement des sources. L'œuvre classique se nourrit des œuvres anciennes qu'elle refaçonne et son appréciation repose sur la comparaison que le lecteur doit implicitement conduire avec le ou les modèles qui ont présidé à l'inspiration : les fables d'Ésope pour les fables de La Fontaine, les satires d'Horace ou de Juvénal pour celles de Boileau, par exemple.

3. *L'influence européenne*

Mais le classicisme ne se tourne pas seulement vers les chefs-d'œuvre de l'Athènes du Ve siècle et de la grande littérature romaine. De l'Italie de la Renaissance, elle retient sa doctrine de l'homme de cour, cultivé, élégant, lettré dont Baldassare Castiglione propose la figure dans *Le Courtisan* traduit en France dès 1537. Mais, outre la place de sa musique et de sa peinture dans la culture française, l'Italie offre aussi des fictions fondatrices d'un imaginaire que les classiques ne cesseront d'explorer : l'*Orlando furioso* de l'Arioste, épopée chevaleresque qui marquera l'univers romanesque du XVIIe et ses idées sur l'amour, tout comme cet autre poème épique : la *Jérusalem délivrée* du Tasse traduit en 1593.

L'importance militaire et politique de l'Espagne à cette époque lui confère naturellement une place de choix dans l'univers des lettres françaises, certainement plus déterminante toutefois dans les années précédant le moment du classicisme et le préparant. La littérature espagnole est multiple mais elle concerne, en particulier, le développement du roman et du théâtre. Du côté de la production romanesque, on doit noter le rôle du roman picaresque qui conte les histoires à rebondissements d'un aventurier d'origine modeste (ou *picaro*), confronté à la dure réalité de la vie. Sa trace se repère dans *L'illusion comique* de Corneille, dans *Le Roman comique* de Scarron (1651-1657) ou dans *Gil Blas* de Lesage (publié à partir de 1715). *Don Qui-*

chotte de Cervantès traduit dès 1608 inspire Scarron ou Charles Sorel pour son *Berger extravagant* (1627), c'est-à-dire un pan de la littérature romanesque qui goûte le burlesque et aime se moquer des conventions des romans sérieux. Mais c'est sans doute l'art de la nouvelle espagnole qui ouvre au roman français ses perspectives les plus neuves : Madame de Lafayette se souviendra des bénéfices qu'elle peut tirer de la brièveté et donc de la tension émotive et narrative de la nouvelle pour écrire son récit d'une passion destructrice, *La Princesse de Clèves* (1678). Enfin le théâtre espagnol est présent chez Corneille pour *Le Cid* notamment, chez Molière pour *Dom Juan*..., à chaque fois, pour mettre en scène la réputation d'héroïsme et de passion des Espagnols.

3.

Un corps de préceptes

1. *La diffusion de la doctrine classique*

Ce sont bien entendu les écrivains qui ont imposé la doctrine classique, non seulement en la pratiquant dans leurs œuvres mais aussi en rédigeant des préfaces ou des avertissements, ou en répondant aux polémiques comme le fit Molière pour *Tartuffe* ou *Dom Juan*. Mais, à côté des textes eux-mêmes, existe au XVIIe siècle toute une littérature critique qui a défini, quelquefois figé, les grands principes communs aux classiques : l'*Art poétique* (1674) de Boileau qui soumet l'art de l'écrivain à la raison et au souci de la perfection obtenue par le travail ; les écrits du Père Bouhours (1628-

1702) qui réfléchissent sur les notions d'esprit et de
goût ; la *Pratique du théâtre* de l'abbé d'Aubignac
(1657) et les *Réflexions sur la poétique d'Aristote* (1674)
de Rapin qui synthétisent les règles du théâtre classique…

Il faut également mentionner le travail des traduc-
teurs qui rendent accessibles les textes de l'Antiquité
comme ceux des littératures étrangères. Cette abon-
dante activité de traduction n'est pas séparable du
désir d'enrichir et d'assouplir la langue française : tout
en célébrant les autres littératures, et grâce à elles, les
classiques réfléchissent sur le renouvellement de la langue nationale pour affirmer l'autonomie culturelle de
la France. Les traités de linguistique, les dictionnaires
foisonnent pour déterminer le bon usage du français
et en inscrire les caractéristiques : dans ses *Remarques
sur la langue française* (1647), Vaugelas présente un modèle de langue où prévaut un souci d'élégance sans af-
fectation.

Racine se revendique de cet idéal de transparence.
La richesse réduite de son vocabulaire, le rejet des ar-
chaïsmes et de tout ce qui pourrait sembler des raffine-
ments excessifs du langage, le choix d'une versification
équilibrée sont quelques-uns des traits stylistiques des
tragédies raciniennes. En dire moins pour suggérer davantage, décrire avec simplicité la complexité des passions pour les rendre plus émouvantes encore, voilà à
quoi tend l'écriture de Racine dont l'économie de
moyens renforce, en réalité, sa puissance d'effets sur le
spectateur.

2. Les idéaux du classicisme

La poétique classique repose sur quelques notions principales, régulièrement expliquées, discutées et mises en pratique. Le premier précepte, qui certainement structure tous les autres, provient de l'*Art poétique* d'Horace : plaire et instruire. Les écrivains classiques ne pensent pas le plaisir d'écrire en lui-même, ils l'associent à la nécessité de servir le sens et de promouvoir une morale. La littérature est orientée vers une leçon de vérité et de vertu qui, pour être plus facilement acceptable, use des ressorts du divertissement plaisant.

Pour plaire, le style doit obéir au **naturel**, sans afféteries ni marques trop visibles du travail de l'écrivain. Lorsque l'écriture touche, sans paraître artificielle, avec une impression de spontanéité ou de subtile négligence, elle réussit alors à transmettre la *grâce*. Pour le classicisme, la grâce est l'apothéose de la création, elle est un mélange discret d'intelligence et de sensibilité qui emporte l'adhésion du lecteur et élève son esprit.

Elle prend plusieurs formes. Elle peut correspondre au **sublime**, examiné par le Grec Longin au IIIᵉ siècle et renouvelé par Boileau (traduction du *Traité du sublime* de Longin en 1674) : le sublime dépend d'une simplicité parfaite, saisissante, qui séduit sans que l'artiste recourre à de spectaculaires effets rhétoriques. La grâce peut être aussi le je-ne-sais-quoi, comme le loue le Père Bouhours, voyant en lui la qualité presque indicible, le plus haut degré d'expressivité de la parole.

Toutes ces valeurs auxquelles obéissent les classiques reflètent une quête de pureté et de clarté, de brièveté et de force de la langue. Loin de contraindre la liberté d'écrire, ces règles et ces principes sont autant de points de perfection à l'horizon de la tentative littéraire. La beauté d'une œuvre se mesure alors à la limpidité d'une forme indistincte de son sens et à l'effort, toujours renouvelé, jamais facilement obtenu, pour entrer dans l'âme du lecteur ou du spectateur, pour l'émouvoir et lui donner à penser : « *La principale Règle*, écrit Racine dans sa préface de *Britannicus* (1669), *est de plaire et de toucher.* »

4.

L'homme classique

Q uel regard les classiques portent-ils sur l'homme ? Il s'oriente, en partie, vers un diagnostic pessimiste qui explore la condition de l'homme, prisonnier de ses instincts, inapte à exercer pleinement sa liberté. C'est cette tragédie du moi que les moralistes classiques comme La Rochefoucauld (*Maximes*, 1664), La Bruyère (*Caractères*, 1688)... analysent et que Racine lui-même place au cœur de sa dramaturgie. Mais d'un autre côté, les classiques essaient de définir une figure d'humanité, moins écrasée par ses contradictions, plus ouverte à autrui et détentrice d'une sagesse de la juste mesure et de la sociabilité. Cette figure est celle de l'honnête homme.

1. La « démolition du héros »

Dans son ouvrage sur les *Morales du Grand Siècle* (1948), Paul Bénichou montre comment, dans la seconde moitié du XVIIe siècle, s'est opéré ce qu'il appelle la « démolition du *héros* ». Il met en contraste les héros de Corneille, avides de liberté, confiants dans le pouvoir de l'action humaine, et la représentation de l'homme présente dans les *Pensées* de Pascal ou les *Maximes* de La Rochefoucauld. En même temps que Louis XIV domestique la noblesse et met fin à sa prééminence politique, tout un courant précipite la fin de l'idéal aristocratique dont Corneille s'était fait le reflet dans la première partie du siècle. Ce courant est marqué par un catholicisme austère, l'augustinisme (reprenant les écrits de saint Augustin), ou sa version radicale, le jansénisme (autour de l'abbaye de Port-Royal), qui insiste sur le poids du péché originel dans le comportement humain. Les ouvrages des moralistes classiques démentent le moi héroïque en le ramenant au caprice de l'orgueil, à la vanité des désirs et à la tyrannie de l'imagination ; « *le moi est haïssable* », écrit Pascal.

Tandis que le héros cornélien se fie à sa conscience et à sa volonté, les moralistes dégagent en l'homme la domination de l'« amour-propre » qui est amour de soi et avidité de se soumettre autrui. Cette instance maléfique et trompeuse, cet instinct que nous dirions aujourd'hui inconscient, dirige les hommes sans même qu'ils s'en aperçoivent. Elle les emprisonne dans des contradictions, des divisions intérieures. Elle les éloigne de Dieu et de la vérité en les faisant courir après les chimères de l'ambition, de la gloire, du pouvoir, de la jouissance, toutes passions qui dégradent la nature humaine et aveuglent l'homme sur lui-même.

Dans le théâtre de Racine, les personnages sont soumis à la pression intérieure de leurs désirs. L'amour y revêt les aspects les plus violents et les plus contradictoires. La souffrance des personnages n'a d'égale que l'aliénation des passions qui les assaillent, qu'ils voudraient repousser mais qui les fascinent aussi jusqu'à la perte de soi et souvent la mort. Dans *Phèdre*, Phèdre souhaite la pureté mais elle se voue au mal d'aimer Hippolyte ; dans *Britannicus*, Néron désire Junie au point de la torturer... En chacune des créatures raciniennes se joue un théâtre de la cruauté ; il manifeste le travail en profondeur des pulsions telles que les moralistes classiques en livrent l'anatomie : le labyrinthe de l'âme que La Bruyère ou La Rochefoucauld décomposent par leur remarques et leurs réflexions, Racine le met en scène. Il anime dans les corps de ses personnages tourmentés les monstres qui sont tapis en l'homme, comme la folie d'Oreste éveillée par son crime, mais il illustre aussi, comme en témoigne Andromaque, les vœux d'innocence et de dignité auxquels certains n'ont pas renoncé.

2. *L'honnête homme*

En contrepoint de cette inhumanité soulevée dans les ténèbres de la nature humaine par les moralistes et les dramaturges tragiques, le classicisme propose une autre approche de l'homme. Il invente un type né de la culture des salons mondains, si essentiels dans la vie sociale et artistique du XVIIe siècle : l'honnête homme. L'honnête homme correspond à un idéal de comportement social, débarrassé de la tentation des passions au profit de l'élégance, des bonnes manières, d'une maîtrise fine de la conversation en société et d'une capacité à toujours savoir s'adapter aux circonstances de la vie. La sagesse de l'honnête homme est faite de maîtrise de soi, d'ouverture et de souplesse d'esprit, d'humour et de justesse de jugement : il est l'antithèse du personnage tragique dévoré de passions, impuissant à faire entendre en lui la raison, c'est-à-dire à trouver l'équilibre et l'ordre que veulent les classiques. L'honnête homme est le représentant accompli de l'esprit du classicisme, alliant la simplicité, le naturel et le raffinement.

Dans *le Misanthrope* (1666), Molière met en regard, à travers les personnages d'Alceste et de Philinte, le visage du pessimisme des moralistes et celui de l'honnêteté. Alceste attaque les modes, dénonce les faux-semblants des courtisans, repère ce que cette comédie des apparences doit à l'intérêt, l'ambition, l'égoïsme... Il se comporte en moraliste critique et intransigeant sans voir que lui-même est victime de sa jalousie. En face de lui, Philinte, partisan de l'honnêteté, tente de trouver un accommodement entre les hommes, il est favorable au compromis et à la tempérance pour ne pas, comme le fait Alceste, renoncer au commerce des hommes, mais construire, en société, la solution d'un bonheur.

5.

Diversité du classicisme

1. *Ramifications du classicisme*

Certaines œuvres ont concentré le classicisme : les romans de Madame de La Fayette, les *Fables* de La Fontaine, les comédies de Molière ou les tragédies de Racine. Mais le poids de ces grands textes ne doit pas nous faire négliger la diversité du mouvement classique. Le classicisme est en effet traversé d'autres courants parfois complémentaires, parfois critiques.

Dans les cercles aristocratiques, prend corps l'ambition d'une littérature et d'une esthétique mondaines

qui ajoute à la norme du naturel et de l'élégance classiques le plaisir du divertissement et des jeux d'esprit
imités de l'art de la conversation de salon. La mode est
aux lettres (comme en écrit Madame de Sévigné à sa
fille), aux portraits, aux épigrammes, aux pièces galantes et aux fables, petits genres ludiques et virtuoses qui
animent les cercles aristocratiques.

Comme une de ses ramifications, la préciosité introduit dans le champ imaginaire du temps le goût de
l'étude psychologique et des débats sur l'amour. Écrivain de la préciosité dont Molière raille les excès, Ma-
deleine de Scudéry trace dans son roman *Clélie* (1654-
1661) une géographie exemplaire : la Carte du Tendre,
où sont répertoriées toutes les nuances du sentiment
figuré en pays, mers, rivières, villes…, est l'emblème de
la complexité des relations galantes. On a pu dire parfois, à commencer par Corneille lui-même pour le cri-
tiquer, que les personnages de Racine parlaient selon
les codes de la galanterie précieuse et que la gamme
des passions qu'ils déclinent est une variante, à
l'échelle du théâtre, de la Carte du Tendre.

2. *Un mouvement total*

Le classicisme ne s'arrête pas à la littérature, il pénè-
tre les autres arts : musique, peinture, architecture.

En peinture, les maîtres du classicisme n'appartien-
nent pas exclusivement à la période des années 1660-
1680, ce qui nous fait comprendre le caractère parfois
artificiel des datations ou nous suggère l'influence ma-
jeure de la peinture sur l'émergence du classicisme.
Charles Le Brun (1619-1690) ou Pierre Mignard
(1612-1695) sont bien, sur la période, des exemples du
modèle français académique ; ils incarnent tous deux

une peinture qui s'adresse autant aux sens qu'à la raison et à l'âme. Mais le style de Philippe de Champai-
gne (1602-1674), peintre sous Louis XIII, semble aussi
appartenir en propre à l'esthétique classique : la majesté, la rigueur de ses grands portraits (comme celui
du cardinal de Mazarin), la netteté des lignes de composition et leur sobriété sont des valeurs classiques. On
les retrouve chez le paysagiste Claude Lorrain (1600-
1682) ou chez Nicolas Poussin (1594-1665) qui, dans
ses tableaux mythologiques ou bibliques, associe le travail d'éclat de la couleur avec une véritable scénogra-
phie des personnages dont la gestuelle, les attitudes et
les traits sont les reflets visibles de leur intériorité. Éva-
luant le projet du peintre comme une mise en scène,
Poussin se rapproche de l'esthétique théâtrale. Ce
qu'il réalise par l'agencement de ses personnages, par
le soin apporté au symbolisme du décor pour signifier
les sentiments et les passions, Racine le reprend pour
la scène. Par le pouvoir évocateur des images, la force
des mots, leur alliance de sonorité, les personnages de
la tragédie expriment ce qu'ils ressentent de plus sou-
terrain : comme le peintre, le dramaturge signifie l'invisible.

En architecture, le classicisme trouve son expression
dans le palais de Versailles. Y travaillent, en particulier,
Louis Le Vau qui réalise la façade sur jardin, l'Orange-
rie…, Jules Hardouin-Mansart qui crée, avec Le Brun,
la galerie des Glaces (1679-1685) et Le Nôtre qui trace
les somptueux jardins.

La musique, quant à elle, est omniprésente. Dans un
siècle où la puissance de l'Église est totale, la musique
religieuse occupe une place essentielle. Mais la vie
mondaine facilite une musique de divertissement plus
légère. Plusieurs musiciens s'affirment sur la période :

Jean-Baptiste Lully (1632-1687), adepte de la musique
italienne, Marc-Antoine Charpentier (1635-1704),
Michel-Richard Delalande (1657-1726) et François
Couperin (1688-1733). Mais l'invention la plus remarquable est certainement celle de la tragédie lyrique,
ancêtre de l'opéra français. De même que Molière réalise le dialogue de la musique, du texte et de la danse
dans ses comédies-ballets (*Le Bourgeois gentilhomme, Psy-
ché...*), Philippe Quinault (1635-1688) collabore avec
Lully et parvient à allier vers et musique dans plusieurs
tragédies lyriques (*Thésée* en 1675, *Roland* en 1685...).
Bien que l'univers tragique de Racine soit moins empreint de romanesque, il témoigne de l'intérêt du dramaturge pour les formes chantées du vers. Certains
passages de ses tragédies peuvent ainsi s'entendre
comme des arias d'opéra où le vers produit sa propre
musique et réclame plus le chant que la diction.

   La richesse du classicisme provient d'une harmonie
multiple : harmonie de l'Histoire et de l'Art qui trouvent, l'un par l'autre, autour de la personne du roi
Louis XIV, leur équilibre ; harmonie d'une société
(l'élite de la cour) et d'un goût ; harmonie de l'État,
de la religion et de la morale ; harmonie enfin d'une
langue et de son écriture.

   À la fin du XVIIe siècle se déclenche la querelle des
Anciens et des Modernes qui est, sans doute, un tour-
nant dans l'évolution du classicisme. Le débat oppose
les partisans de la fidélité aux Anciens (on repère
parmi eux Jean de La Fontaine, Nicolas Boileau, La
Bruyère...) et ceux qui, comme Charles Perrault, esti-
ment que les Modernes doivent pouvoir innover et
prétendre dépasser le legs de l'Antiquité. Soucieux
d'introduire dans l'art la notion de progrès, les Modernes préparent le Siècle des Lumières.

Genre et registre

La tragédie classique

LE THÉÂTRE DU DÉBUT du XVIIᵉ siècle échappait à toute règle établie. Espace de liberté créatrice, il avait tendance à l'outrance, en compliquant ses intrigues, en présentant des personnages démesurés et des situations quelquefois très violentes. Le goût baroque pour l'irrégularité formelle fait alors préférer le genre mixte de la tragi-comédie, davantage appréciée que la tragédie ou même que la comédie. Multipliant les décors, les temps et les péripéties, la tragi-comédie est régie par une tension dramatique qui se dénoue en une fin heureuse comme dans *La Force du sang* d'Alexandre Hardy (1625), *Silvanire* d'Honoré d'Urfé (1625) ou *Le Cid* de Corneille (1636).

Mais déjà Corneille se voit reprocher pour *Le Cid* des écarts par rapport à ce que les théoriciens tiennent pour les règles essentielles de la composition dramaturgique (en 1648, Corneille rebaptisera *Le Cid* « tragédie », montrant par là son adhésion au vœu de régularité que ses contemporains manifestaient). En effet, de nombreux traités réfléchissent sur une mise en ordre du théâtre dont l'application, avec plus ou moins de fidélité, produira le théâtre classique : la *Poétique* de La Ménardière (1639), la *Pratique du théâtre* de d'Aubignac (1657) et *Réflexions sur la poétique d'Aristote* de Rapin (1674), à quoi il faut ajouter le *Discours du poème dramatique* de Corneille lui-même adjoint à l'édition de ses œuvres complètes en 1660, où l'écrivain fournit les principes de son écriture.

Sous l'impulsion de dramaturges comme Jean Mairet (1604-1686), Jean Rotrou (1609-1650) et Pierre Corneille (1606-1684), le théâtre étend son influence. Il bénéficie de l'intérêt du pouvoir pour un domaine dont il espère tirer un profit de propagande : Richelieu réunit autour de lui des écrivains, les Cinq auteurs dont fait partie Corneille, pour composer des pièces. Dans les quelques salles de Paris où la concurrence des troupes fait rage (Hôtel de Bourgogne, Palais-Royal, Théâtre du Marais, Petit-Bourbon), le public est de plus en plus large : les gens de la cour fréquentent en nombre les théâtres, tout comme le peuple qui trouve là un divertissement accessible.

À un moment où l'Antiquité est le point de repère esthétique d'une monarchie qui désire égaler par son éclat l'Athènes de Périclès et la Rome impériale d'Auguste, le renouveau de la tragédie autour des années 1660 condense les grandes aspirations de la littérature classique : revenir aux chefs-d'œuvre de la littérature ancienne, en particulier de la Grèce, terre natale de la tragédie (Euripide, Sophocle, Eschyle…) ; créer des spectacles soumis à des règles d'unité qui expriment le désir d'ordre, partout formulé à l'époque, sans atténuer l'émotion mais, au contraire, en l'intensifiant ; provoquer chez le spectateur un bouleversement touchant à son existence même ; élever l'âme de la nation et la souder dans une harmonie esthétique.

1.

Les règles du théâtre classique

1. *L'unité d'action*

Le cadre même de la représentation théâtrale (sa durée limitée, son espace réduit à la scène) oblige à une certaine concentration formelle. Mais les classiques ont désiré renforcer l'intensité et l'unité de l'action. Alors que dans *L'Illusion comique* de 1636, Corneille multiplie les niveaux d'intrigue, dans ses pièces ultérieures, il resserre progressivement son drame pour lui éviter tout éclatement. C'est dans la direction de cette simplification que Racine construit son théâtre.

Qu'on ne s'y trompe pas : *Andromaque*, par exemple, présente plusieurs fils d'intrigue, autant qu'il y a de relations de désir non partagé : entre Oreste et Hermione, entre Hermione et Pyrrhus, entre Pyrrhus et Andromaque. Chacun de ces nœuds répète la relation fondamentale que Roland Barthes a pu commenter dans *Sur Racine* : « A aime B, qui ne l'aime pas. » L'unité de l'action dépend de cette chaîne amoureuse dans laquelle tous les personnages se heurtent au conflit du sentiment et de la fidélité. Les hésitations de chacun distribuent des séries de revirements. Mais les dilemmes des héros qui paraissent une source de dispersion de l'action convergent finalement jusqu'à ses conclusions violentes. Aussi, plutôt que d'unité de l'action, peut-être faudrait-il parler d'une unification autour de la commune impuissance des personnages tragiques à obtenir le bonheur d'aimer.

La tragédie obéit à un déroulement en trois phases, articulées logiquement selon la nécessité de l'intrigue. L'**exposition** est l'objet de la première scène (ou parfois d'une ou deux scènes supplémentaires). Il s'agit pour le dramaturge de fournir au spectateur les informations essentielles à la compréhension de la situation, à la présentation des personnages et aux relations qui établissent la crise tragique. Dans *Andromaque*, l'installation des éléments de la tragédie dépend de la confidence entre Oreste, par qui le drame entre dans le palais de Pyrrhus, et Pylade son ami. L'exposition vise à constituer le cœur de l'intrigue que l'on appelle le **nœud**, fait des conflits entre les personnages et des obstacles à leur volonté. Enfin la dernière partie de la tragédie, qui la referme sur son unité, produit le **dénouement**. Le dernier acte d'*Andromaque* est ainsi le point d'aboutissement fatal des tensions précédemment révélées en chacun des personnages : le meurtre de Pyrrhus, le suicide d'Hermione, celui tenté mais inabouti d'Andromaque, toutes ces violences débouchant, dans l'ultime scène, sur la folie sans retour d'Oreste.

2. *L'unité de temps*

Les dramaturges classiques ont voulu réduire l'écart entre le temps de la représentation réelle et la durée de l'action. Voilà pourquoi s'est instituée la règle des vingt-quatre heures (portée à douze heures par les théoriciens les plus exigeants). En fait, chaque acte correspond au temps effectif de l'action pendant que les développements intermédiaires sont censés se dérouler au cours des entractes.

Ainsi, à la différence des pièces baroques riches en péripéties, le théâtre classique entend respecter une certaine vraisemblance temporelle pour faire vivre, comme en direct, des vies saisies à un moment de crise. Le théâtre doit donner l'illusion du vrai. Racine pousse la proportion entre temps du spectacle et temps de l'action en ramenant ses intrigues quelquefois, comme c'est le cas pour *Bérénice*, à moins de six heures.

En comprimant la durée, non seulement le dramaturge rend la crise tragique plus crédible pour le spectateur, mais il lui confère aussi une plus grande tension. Le temps resserré renforce l'urgence, presque angoissante, dans laquelle se trouvent les personnages d'assumer leur destin. Le temps de la tragédie est décisif, il est irréversible. Le développement du temps de la représentation mime le cours de la fatalité : une fois la crise enclenchée, plus rien ne viendra l'arrêter, elle est tout entière étirée vers sa fin.

Andromaque commence un matin avec l'arrivée d'Oreste : cette aube n'offre pourtant pas d'espoir certain, elle ouvre à la fatalité et à la libération des conflits. L'image de la captive Andromaque libérée au dénouement est le symbole du tragique qui, selon Racine, conduit chaque personnage à exprimer sa vérité jusque-là encore retenue. Dans la pièce, la temporalité va crescendo : lors de la première scène, Oreste rappelle à Pylade qu'il ne l'a pas revu depuis six mois. Mais cette longue durée due à l'absence s'accélère, les événements s'enchaînent inexorablement en dépit des incertitudes des personnages et de leurs vacillements. Chacun vient régler son histoire : la venue sur la scène tragique est le résultat d'une existence antérieure, du poids d'un passé dont il faut solder les comptes au présent. Finalement, Oreste, qui ferme la représentation comme il l'a inaugurée, doit fuir parce que Andromaque a pris le pouvoir. La fin de la tragédie réalise un renversement de la domination : les Grecs ont perdu leur puissance et, à travers Andromaque, c'est Hector lui-même, symbole de Troie vaincue et humiliée, qui tient sa revanche. Quant à Oreste, bien que le temps presse, il semble sourd aux conseils de Pylade : il reste éperdu, submergé par la folie qui le fait basculer dans un autre temps, inaccessible à autrui, un temps qui équivaut à une mort au monde. Ce basculement en dehors de la réalité est le terme le plus violent de la tragédie qui opère sur tous les personnages un rituel de passage : ce rituel peut mener à la mort ou à la folie, il peut, comme c'est le cas pour Andromaque, trouver son sens dans un devoir de mémoire, envers Hector, complètement assumé. Le destin d'Andromaque, comme tous les autres personnages accèdent à leur destinée, est d'être veuve, consacrée à l'hommage d'un passé perdu.

3. L'unité de lieu

Affectant l'action et le temps pour des raisons de vraisemblance, le problème de l'unité ne pouvait manquer de se porter sur l'espace. La scène renvoie donc en théorie à un lieu unique, qu'il s'agisse, pour la comédie, de l'intérieur d'une maison ou d'une place publique, ou qu'il s'agisse, pour la tragédie, d'une salle de palais, d'une antichambre ou d'un appartement. L'extérieur n'est pas absent du théâtre mais il n'existe qu'à travers les récits de ceux qui en viennent et rapportent ce qu'ils ont vu aux personnages sur scène.

La salle du palais de Pyrrhus est le lieu carrefour où se croisent et se rencontrent les protagonistes. Plus la pièce avance, plus la scène se vide. Le huis-clos de chaque scène fait un pas de plus vers le résultat de la tragédie. L'espace exerce la même contrainte que le temps et il est comme lui sans solution : à la fin, Oreste ne songe plus à quitter Buthrot parce qu'il sait que c'est dans ce lieu et nulle part ailleurs qu'il s'est définitivement accompli.

4. *Bienséances et vraisemblance*

Au fondement des règles concernant la structure dramatique, les classiques posent le respect de la vraisemblance. Comme la bienséance, la vraisemblance ordonne le rapport de l'écrivain avec son public. Le spectateur doit pouvoir adhérer, croire à ce qui est joué devant lui. De même, l'action ne doit pas, par bienséance, s'écarter des conventions sociales : le dramaturge prend soin de ne pas choquer le public, ce qui l'oblige à éliminer éventuellement certains types d'action. Ainsi tout ce qui relève de la violence et de l'horrible ne saurait être montré : pas de suicide, de viol, de meurtre ou de duel…

Pourtant le théâtre tragique de Racine n'est pas exempt de violence : violence psychologique qui s'exerce par les mots et par les regards qui sont souvent l'équivalent de coups, parfois mortels ; violence physique : morts, suicides… Mais, respectant la règle morale des bienséances, Racine n'expose pas directement le sang. Seule, dans *Andromaque*, la folie est visible, à travers les hallucinations d'Oreste, car elle permet d'évaluer la démesure des passions. Cependant cette démesure, dont l'aspect fantastique pourrait faire penser au théâtre baroque du début du siècle, est transcrite dans un style qui ne déroge pas aux lois de tempérance et de bonne mesure. Le défi de Racine consiste en effet à peindre les brûlures de la passion, leur véhémence au moyen d'une totale sobriété d'effets. Il réalise le paradoxe d'un théâtre dominé par des affects portés à l'extrême et cependant nuancés.

2.

Les effets de la tragédie

1. *L'émotion tragique*

La finalité du spectacle tragique est de susciter l'émotion chez le spectateur. Dans les *Caractères*, La Bruyère note ainsi les effets de la tragédie : « *Le poème tragique vous serre le cœur dès son commencement, vous laisse à peine dans tout son progrès la liberté de respirer et le temps de vous remettre, ou s'il vous donne quelque relâche, c'est pour vous replonger dans de nouveaux abîmes et de nouvelles larmes.* »

L'éventail de la sensibilité stimulé par les péripéties de l'action se ramène cependant aux deux émotions essentielles qui, depuis la *Poétique* d'Aristote, caractérisent l'état du spectateur de tragédie : la terreur et la pitié. Dans les deux situations, le spectateur est dans une relation d'identification avec les personnages, soit qu'ils éveillent en lui de la compassion pour leur souffrance, soit qu'ils lui inspirent de la crainte face au scandale ou à l'épouvante de leurs malheurs.

Chacun des personnages d'*Andromaque*, à des degrés divers, implique de ressentir pour lui terreur et pitié. Pour Oreste, par exemple, cette double émotion prend racine dans le mélange au cœur du personnage de sa mélancolie presque maladive, de son aveugle-

ment amoureux, de sa brutalité et de l'horreur de lui-
même. Son cas est intéressant parce qu'il permet de
définir la spécificité du tragique racinien. Oreste lui-
même s'estime la victime des dieux, du ciel « *appliqué
sans relâche au soin de* [*le*] *punir* » (vers 1615). Mais, dès
l'entame de la pièce, son ami Pylade fait le diagnostic
de ses tendances morbides à l'échec et à l'autodestruc-
tion : « *Je craignais que le Ciel, par un cruel secours,/Ne
vous offrît la mort que vous cherchiez toujours* » (vers 19-
20). Pylade ramène le tragique au cœur de l'homme,
il ne limite plus le malheur à la volonté cruelle des
dieux qui fixent les sorts individuels. Dans l'Antiquité
grecque, la tragédie dépendait du conflit de trois ins-
tances : l'individu, la cité et les dieux. Contre les lois
de la cité et celles des dieux, l'individu ne peut rien, il
est écrasé par elles et doit accepter, y compris par la
mort, son impuissance. Dans les tragédies de Corneille, la lutte se cristallise sur le combat de l'individu
et de l'État. Avec Racine, la dimension politique n'est
plus si centrale et la présence des dieux, si elle per-
dure (davantage cependant dans *Phèdre* que dans *Andromaque*), est reléguée à l'arrière-plan d'un enjeu qui
concerne surtout l'intériorité des personnages. L'ex-
plication des malheurs apparaît au sein même des
structures psychiques, dans la rivalité des passions
(l'amour et la haine comme chez Hermione par
exemple) et dans les traumatismes qu'elles entraî-
nent. Là encore joue la règle de la vraisemblance si
déterminante pour l'esthétique du classicisme. Car
comment croire tout à fait à la fatalité, à l'acharnement des dieux, qui plus est grecs ou romains ? Sans
abolir la force du sacré (le théâtre de Racine est le reflet d'une société pétrie de foi chrétienne), le dramaturge ajoute les résultats d'une enquête sur le cœur

humain qui permet de redonner à l'homme la responsabilité de ses actes.

Par la représentation de leurs infortunes et le combat qu'ils livrent pour leur liberté, les héros cornéliens doivent susciter le sentiment que le dramaturge juge le plus noble, celui de l'admiration. Racine choisit une autre fin émotive : la « tristesse majestueuse » dont il parle dans sa préface de *Bérénice* : « *Ce n'est point nécessaire qu'il y ait du sang et des morts dans une tragédie ; il suffit que l'action en soit grande, que les acteurs en soient héroïques, que les passions y soient excitées, et que tout s'y ressente de cette tristesse majestueuse qui fait tout le plaisir de la tragédie.* »

Dans *Andromaque*, le personnage même d'Andromaque semble diffuser au plus près cette « *tristesse majestueuse* » : les humiliations dont elle est l'objet et la grandeur avec laquelle elle affronte sa condition de captive, en ne cédant rien de ses valeurs, lui font accéder au pathétique. Les choix douloureux qui s'imposent à elle pour sauver son fils, le souvenir d'Hector qui la hante ne la font exister que comme une victime expiatoire. Elle est incapable de rien éprouver pour elle-même, et cependant à travers sa médiation subsistent les vertus intemporelles du dévouement et de la fidélité, des valeurs dédiées à l'amour d'autrui.

2. La catharsis

C'est dans la pensée d'Aristote que se trouve la notion de catharsis. Les classiques l'ont reprise pour l'appliquer au théâtre tragique. Le mot grec signifie « purgation » et il est emprunté au domaine de la cure médicale. Transposé pour la représentation théâtrale, il désigne l'action que la tragédie exerce sur le public :

en ressentant terreur et pitié, le spectateur est censé se purger de ses mauvaises passions ; il voit les personnages tragiques accablés par le malheur, en proie au désastre des passions et ainsi il est dissuadé de les imiter. Seuls des personnages accédant au sublime comme Andromaque ou Junie, par exemple dans *Britannicus*, encouragent l'adhésion du public, car ils projettent l'image de la vertu.

L'identification avec les héros passionnels est complétée par une prise de distance et les classiques ont la conviction que cet effet répulsif peut guérir les hommes. Le plaisir du théâtre tragique n'a de sens que dans la finalité d'une instruction morale, il reprend donc le vœu du classicisme : plaire et instruire.

Il ne faut toutefois pas penser que l'identification avec les héros s'effectue naturellement car la vie montrée sur scène n'est pas la vie réelle : la tragédie stylise les événements. Même l'aristocratie qui assiste aux représentations ne peut prétendre ressembler à ces modèles agrandis. Pour Racine, le théâtre possède une noblesse qui, tout en guidant moralement les hommes, leur offre à voir et à entendre une humanité mythique. Il retrouve ainsi ce que la tragédie fut à son origine : une cérémonie. C'est ce que nous invite à comprendre Georges Steiner dans *La Mort de la tragédie* : « *Il y a eu toujours dans l'esprit de Racine l'idéal d'un théâtre rituel ou d'un théâtre de circonstance solennelle comme à Athènes.* »

L'écrivain
à sa table de travail

Des sources antiques
à la dernière édition

1.

Racine et les sources

1. *Les sources antiques : entre fidélité et création*

Dès l'origine, le texte de la pièce est précédé de la dédicace à Madame, Henriette d'Angleterre, protectrice notamment de Molière et de Racine, et d'une préface. Ces avant-textes apportent des indications essentielles sur l'élaboration de la tragédie : Racine y donne quelques précisions sur l'origine de son travail, sur son inspiration et ses sources. La pièce est composée par Racine en 1666, sans doute sous le regard bienveillant de Madame. Il lui en sait gré dans la dédicace : « *On savait que Votre Altesse Royale avait daigné prendre soin de la conduite de ma tragédie ; on savait que vous m'aviez prêté quelques-unes de vos lumières pour y ajouter de nouveaux ornements.* »

Selon la Préface de 1668, Racine a emprunté son sujet à l'*Énéide* de Virgile. Il cite le troisième livre et affirme : « *Voilà, en peu de vers, tout le sujet de cette tra-*

gédie. » Pour le personnage d'Hermione, Racine se souvient de l'*Andromaque* d'Euripide. Quelques lignes plus bas, dans cette même préface, Racine précise qu'il a puisé à une autre source : la *Troade* de Sénèque.

Racine rattache la force tragique de sa pièce, dans sa première préface, à la fidélité historique du sujet de sa tragédie : « [...] *mes personnages sont si fameux dans l'Antiquité que, pour peu qu'on la connaisse, on verra fort bien que je les ai rendus tels que les anciens poètes nous les ont donnés. Aussi n'ai-je pas pensé qu'il me fût permis de rien changer à leurs mœurs.* » Mais que reste-il dans *Andromaque* des légendes antiques dont il s'est inspiré ? À vrai dire, presque rien. Selon les sources, Pyrrhus a d'abord aimé Andromaque sa captive, dont il a eu un fils, Molossos. Il l'a ensuite abandonnée pour épouser Hermione. Ce n'est qu'à la suite de ce mariage qu'intervient Oreste. Il fait assassiner Pyrrhus et enlève Hermione. Selon la plupart des textes de l'Antiquité (seule la version de Sénèque diffère), loin de vouloir se suicider par amour pour Pyrrhus, la jeune femme suit de son plein gré Oreste qu'elle n'a jamais cessé d'aimer. Deux points seulement demeurent conformes à la tradition : l'assassinat de Pyrrhus sur l'ordre d'Oreste et le couronnement d'Andromaque reine d'Épire alors qu'elle n'était que captive.

Cet éloignement de la tragédie par rapport aux sources vaut à Racine quelques contestations et l'auteur se voit obligé de légitimer son entreprise dans une seconde préface qui paraît en 1676. Racine s'explique surtout sur la présence d'Astyanax auprès de sa mère dans le palais de Pyrrhus alors que le fils est mort au lendemain de l'embrasement de Troie. Racine a bouleversé l'Histoire, il a interverti les fils et prolongé la vie de l'un, mais il est resté, selon lui, fidèle à l'image, à l'impression que l'on a conservée de la veuve d'Hector, unie à son époux par-delà la mort. La légère modification de l'Histoire permet donc de rendre le personnage vraisemblable : Andromaque est conforme à l'idée que l'on a d'elle.

Cette conception de la fidélité aux sources est bien singulière. Au XVIIᵉ siècle, la tragédie doit être fondée en Histoire, les auteurs puisent leur inspiration chez les poètes grecs et latins, et ni le caractère profond d'un personnage ni le dénouement de l'Histoire ne peuvent être modifiés. Racine justifie donc le caractère d'Hermione par la tragédie d'Euripide et il consacre le dernier acte de sa pièce à la mort de Pyrrhus et au couronnement d'Andromaque. Mais ce respect se voit nuancé par une libre adaptation, soumise à une époque donnée et aux valeurs classiques. Racine est contraint de modifier l'enchaînement des événements au nom de la vraisemblance et de la bienséance. Il est en effet essentiel au XVIIᵉ siècle de parvenir à concilier l'histoire antique et les goûts du siècle. Dès lors, il ne semble pas pensable au siècle de Louis XIV qu'un roi ait un fils avec une captive avant de l'avoir épousée : Molossos est donc exclu de la tragédie et remplacé par Astyanax. De même, Racine ne pouvait montrer sur scène le roi Pyrrhus marié à Hermione, délaissant son épouse légitime pour une captive : le roi ne peut être partagé entre deux femmes que s'il n'en a épousé aucune. Les mariages sont donc délégués, ils ne sont qu'à venir, et Racine annule la mort d'Astyanax, qui demeure, muet et invisible, auprès de sa mère après la mort d'Hector et la ruine de Troie.

Grâce à ces modifications plurielles, Racine parvient à rapprocher la structure de sa pièce des habitudes galantes de son public. Au XVIIe siècle, à travers les pastorales dramatiques, le public est familiarisé avec la chaîne des amours qui lient les personnages entre eux. Dans ce genre théâtral, les bergers et les bergères se poursuivent selon le principe du « j'aime qui me fuit et je fuis qui m'aime ». Corneille, Rotrou et d'autres dramaturges reprennent ce schéma galant dans leurs tragédies, comme *Pertharite* ou *Hercule mourant*. Et Racine retrouve le fondement de ce principe amoureux dans *Andromaque* : Oreste aime Hermione qui aime Pyrrhus qui aime Andromaque qui aime le défunt Hector. Pour se conformer à cette chaîne amoureuse, Racine ne pouvait conserver la leçon antique selon laquelle Hermione demeurait fidèle à Oreste qu'elle ne cessait d'aimer même mariée à Pyrrhus.

Racine s'approprie donc considérablement les données de la tradition antique ; il s'inspire de divers textes dont il module la succession des événements dans un assemblage original. C'est grâce à ces variations qu'il parvient à construire une intrigue cohérente et en accord avec les modes de pensée de son temps pour concilier l'Histoire, la vraisemblance et les bienséances. L'imitation au siècle classique est créatrice et non servile.

2. *Des sources plus contemporaines*

La préface offre donc un certain nombre d'indices qui permettent de retrouver le procédé de composition de la pièce. Mais elle est loin de livrer tous les éléments dont Racine s'est servi pour écrire son *Andromaque*. L'auteur s'est-il inspiré d'autres textes pour composer sa pièce ? Peut-on retrouver d'autres sources que les textes et légendes antiques ? Dès le XVIIIe siècle, Voltaire croit reconnaître dans l'*Andromaque* de Racine la structure de la tragédie de Corneille, *Pertharite, roi des Lombards*. Les trois premiers actes de cette pièce jouée par l'Hôtel de Bourgogne en 1652 s'ouvrent comme dans *Andromaque* sur un conquérant (Grimoald) qui délaisse la femme à qui il avait promis le mariage (Edwige) pour forcer la veuve du vaincu (Rodélinde) à l'épouser. L'enfant de Rodélinde, comme Astyanax chez Racine, se trouve au cœur d'un chantage. Mais au troisième acte, le retour du roi vaincu oriente la pièce vers un tout autre dénouement.

Racine connaissait peut-être la pièce de Corneille jouée quelques années plus tôt. Mais il est plus certain qu'il avait lu une autre tragédie : *Hercule mourant*, composée par Jean Rotrou en 1634. Dans cette pièce, le héros Hercule délaisse son épouse Déjanire et s'éprend de sa captive Iole dont il a fait assassiner toute la famille. Déjanire, pour se venger de la trahison d'Hercule, envoie à celui-ci une tunique teintée de sang empoisonné et fait mourir l'homme qu'elle aime. Les sujets sont très proches, et notamment le schéma de la chaîne amoureuse qui revient dans les deux pièces, d'autant que Rotrou a inventé l'existence d'un jeune homme dont Iole est éprise (ce jeune homme est absent de la tragédie antique). L'influence de Rotrou est sans doute à lire également dans la scène 4 de l'acte III d'*Andromaque* : comme Iole agenouillée devant Déjanire dans la scène 2 de l'acte III, Andromaque, aux pieds d'Hermione, tente de la convaincre de son innocence pour sauver son fils.

2.

Les différentes éditions
de la pièce et ses réfections

1. *Entre 1667 et 1673*

Au cours de ses diverses publications, *Andromaque* a plusieurs fois été retouchée par son auteur. Les modifications sont le plus souvent minimes, de l'ordre de quelques vers ou d'une marque de ponctuation, excepté lors de l'édition de 1673. Racine en effet opère une retouche bien plus importante et significative à la troisième scène du dernier acte : désormais Andromaque est totalement absente de l'acte V et l'auteur supprime plus de trente vers. Voici le texte tel qu'il a été joué par l'Hôtel de Bourgogne en 1667 — les vers supprimés ou modifiés par Racine sont portés en italique :

Acte V, scène 3

ORESTE, ANDROMAQUE, HERMIONE,
CLÉONE, CÉPHISE, SOLDATS D'ORESTE.

ORESTE

Madame, c'en est fait. *Partons en diligence.*
Venez dans mes vaisseaux goûter votre vengeance.
Voyez cette Captive. Elle peut mieux que moi
Vous apprendre qu'Oreste a dégagé sa foi.

HERMIONE

Ô Dieux ! C'est Andromaque ?

ANDROMAQUE

Oui, c'est cette Princesse
Deux fois Veuve, et deux fois l'Esclave de la Grèce ;
Mais qui jusque dans Sparte ira vous braver tous,
Puisqu'elle voit son Fils à couvert de vos coups.
Du crime de Pyrrhus complice manifeste,
J'attends son châtiment. Car je vois bien qu'Oreste
Engagé par votre ordre à cet assassinat,
Vient de ce triste exploit vous céder tout l'éclat.
Je ne m'attendais pas que le Ciel en colère
Pût, sans perdre mon Fils, accroître ma misère,
Et gardât à mes yeux quelque spectacle encor,
Qui fît couler mes pleurs pour un autre qu'Hector.
Vous avez trouvé seule une sanglante voie
De suspendre en mon cœur le souvenir de Troie.
Plus barbare aujourd'hui qu'Achille et que son Fils,
Vous me faites pleurer mes plus grands Ennemis ;
Et ce que n'avaient pu promesse, ni menace,
Pyrrhus de mon Hector semble avoir pris la place.
Je n'ai que trop, Madame, éprouvé son courroux,
J'avais plus de sujet de m'en plaindre que vous.
Pour dernière rigueur, ton amitié cruelle,
Pyrrhus, à mon Époux me rendait infidèle.
Je t'en allais punir. Mais le Ciel m'est témoin,
Que je ne poussais pas ma vengeance si loin,
Et sans verser ton sang, ni causer tant d'alarmes,
Il ne t'en eût coûté peut-être que des larmes.

HERMIONE

Quoi ? Pyrrhus est donc mort !

ORESTE

Oui, nos Grecs irrités
Ont lavé dans son sang ses infidélités
[...]
Mais enfin à l'autel il est allé tomber.
Le Troyen est sauvé. Mais partons, le temps presse ;
L'Épire tôt ou tard satisfera la Grèce.
Cependant j'ai voulu qu'Andromaque aujourd'hui

Honorât mon triomphe et répondît de lui.
Du peuple épouvanté la foule fugitive
M'a laissé sans obstacle enlever ma captive,
Et regagner ces lieux, où bientôt nos amis
Viendront couverts du sang que je vous ai promis.
[...]

ORESTE

Ô dieux ! Quoi ne m'avez-vous pas
Vous-même, ici, tantôt, ordonné son trépas ?

HERMIONE, *elle s'adresse d'abord à Oreste*
puis à Andromaque

Ah ! Fallait-il en croire une Amante insensée ?
Ne devrais-tu pas lire au fond de ma pensée ?
Et ne voyais-tu pas dans mes emportements,
Que mon cœur démentait ma bouche à tous
                                [moments ?
Quand je l'aurais voulu, fallait-il y souscrire ?
N'as-tu pas dû cent fois te le faire redire,
Toi-même avant le coup me venir consulter,
Y revenir encore, ou plutôt m'éviter ?
Que ne me laissais-tu le soin de ma vengeance ?
Qui t'amène en des lieux, où l'on fuit ta présence ?
Voilà de ton amour le détestable fruit :
Tu m'apportais, Cruel, le malheur qui te suit.
C'est toi, dont l'Ambassade à tous les deux fatale,
L'a fait pour son malheur pencher vers ma Rivale.
Nous le verrions encor nous partager ses soins ;
Il m'aimerait peut-être, il le feindrait du moins.
Adieu. Tu peux partir. Je demeure en Épire :
Je renonce à la Grèce, à Sparte, à son empire,
À toute ma famille ; et c'est assez pour moi,
Traître, qu'elle ait produit un monstre comme toi.
Allons, Madame, allons. C'est moi qui vous délivre.
Pyrrhus ainsi l'ordonne, et vous pouvez me suivre.
De nos derniers devoirs allons nous dégager.
Montrons qui de nous deux saura mieux le venger.

2. *Une dimension tragique renforcée*

La rubrique de scène, où est porté le nom des acteurs présents devant le public, révèle une nette diminution du nombre des personnages. Dans l'édition de 1673 ne figurent plus que trois protagonistes : Oreste, Hermione et Cléone. Andromaque et sa suivante sont évincées ainsi que les soldats d'Oreste. Le cercle se resserre autour d'Hermione et du meurtrier de Pyrrhus ; à l'approche de la fin, la scène tragique se vide. L'intimité progressive de la pièce dans ce dernier acte ajoute à la portée tragique, elle pèse sur les personnages qui, dans le huis-clos de Buthrot, se retrouvent définitivement éloignés : Hermione, horrifiée par l'assassinat qu'elle a ordonné, se détourne de la vie pour se suicider sur le corps de Pyrrhus ; Oreste s'abîme dans la folie.

Les premiers vers d'Oreste qui seront plus tard modifiés par Racine affirment la présence sur la scène d'Andromaque, désignée aux regards d'Hermione à l'aide du démonstratif « cette » devant le substantif « Captive ». La veuve, une nouvelle fois prisonnière des Grecs, est convoquée par la parole d'Oreste en tant que témoin de l'assassinat de Pyrrhus. Andromaque est élevée comme un trophée de guerre qui vient couronner la gloire d'un assassinat. Ainsi, dans la première version d'*Andromaque*, le geste d'Oreste revêt une dimension guerrière et politique ; il n'obéit pas simplement, en amoureux aveugle, à l'ordre d'Hermione. L'étonnement horrifié d'Hermione à la vue d'Andromaque sanctionne à nouveau le meurtre car Andromaque n'est plus simplement la veuve d'Hector, elle est aussi celle de Pyrrhus. Dans la version de 1667, Oreste ne révèle pas la mort de Pyrrhus à Hermione ;

seule la présence d'Andromaque dans le palais porte témoignage du meurtre. Par les diverses retouches de 1673, Racine fait de la révélation un acte d'une grande brutalité. L'annonce du meurtre tombe comme un couperet et la mort s'avance impérieuse sur la scène tragique. Seuls quelques vers sont alors nécessaires à Racine (vers 1494-1495) :

ORESTE

Pyrrhus rend à l'autel son infidèle vie.

HERMIONE

Il est mort ?

ORESTE

Il expire. [...]

D'une version à l'autre, Racine a donc retranché les vingt-six vers qui composaient la tirade d'Andromaque. Dans cette tirade, la veuve emmenée captive devant Hermione par Oreste défie avec force les meurtriers de son mari et accorde son pardon à Pyrrhus, affirmant alors sa fidélité aux morts. Pyrrhus dans son cœur a remplacé Hector : « *Pyrrhus de mon Hector semble avoir pris la place* » et le souvenir de Troie est « *suspendu* ». Dans la version de 1673, les traces de cette conversion demeurent dans la parole de Pylade qui rapporte à Oreste (vers 1587-1590) :

Aux ordres d'Andromaque ici tout est soumis,
Ils la traitent en reine, et nous comme ennemis.
Andromaque elle-même, à Pyrrhus si rebelle,
Lui rend tous les devoirs d'une veuve fidèle.

Le rapprochement dans la tirade d'Andromaque entre Hector, le héros mort pendant la guerre de Troie, et Pyrrhus, le meurtrier sanguinaire, a sans doute heurté les bienséances et nuit à l'image de la veuve fidèle. Racine ne conservera que les vers de Pylade, atténuant ainsi la force du rapprochement. Par ailleurs, le dramaturge choisit certainement de supprimer l'intervention d'Andromaque pour conférer à la scène une plus grande unité de ton et d'action. Hermione et Oreste, seuls désormais sur la scène tragique, sont livrés à eux-mêmes dans l'horreur de la mort.

À la fin de cette troisième scène, le personnage d'Hermione s'enrichissait également d'une dimension de magnanimité. Après avoir repoussé Oreste et refusé de le suivre, Hermione, dans la première version de la pièce, libère Andromaque de la domination des Grecs. Elle reproduit le geste de Pyrrhus qui délivrait déjà la captive et sauvait Astyanax, en signe d'ultime fidélité à celui qu'elle aimait et dont elle a pourtant commandité le meurtre. En 1673, Hermione, apprenant la mort de Pyrrhus, se replie sur elle-même et n'a plus que la force de mourir sur le corps de Pyrrhus après avoir rejeté Oreste. La détresse amoureuse de l'héroïne n'est plus qu'emportement ; dans un accès de douleur, elle est incapable d'un quelconque geste vers l'autre.

Les nombreux réajustements effectués par Racine en 1673 modifient donc sensiblement le dénouement de la tragédie ainsi que le caractère de certaines actions (le meurtre de Pyrrhus par Oreste n'est plus un acte militaire glorieux) et de certains personnages (Hermione n'est plus une héroïne magnanime). Tous se resserrent autour d'un même sentiment : l'amour passionnel, qui détermine à lui seul les actions tragiques, faisant commettre un meurtre et entraînant un suicide. La tragédie s'étire progressivement vers la sortie de scène de tous les personnages, Pyrrhus mort, Andromaque captive ne reparaissent plus devant le public. Hermione elle aussi quitte la scène laissant Oreste seul. Pylade vient à la scène 5 annoncer sa mort (vers 1610-1612) :

> Mais du haut de la porte enfin nous l'avons vue,
> Un poignard à la main, sur Pyrrhus se courber,
> Lever les yeux au ciel, se frapper et tomber.

Pour prolonger la réflexion

Jean RACINE, *Œuvres complètes*, t. 1, édition de Georges Forestier, Gallimard, coll. « Pléiade », 1999.

Groupement de textes

Les mères

DANS LA TRAGÉDIE de Racine, Andromaque se dé-
voue entièrement au salut de son fils, double d'Hector
et dernier représentant de Troie. Astyanax symbolise
un passé, la grandeur des Troyens, et fait espérer la
possibilité d'un renouveau après le désastre. Pour Andromaque, son fils est à la fois l'expression de son
sang et la mémoire de son peuple. Elle est donc prête
à renoncer à elle-même, quitte à implorer Hermione
et à épouser son ennemi, le meurtrier de son époux,
Pyrrhus. Andromaque va jusqu'à l'humiliation et au
sacrifice pour sauver l'essentiel, l'amour des siens.
C'est une martyre : dépourvue de haine et d'orgueil,
elle s'élève au-dessus des passions qui contaminent les
autres personnages et elle impose l'exemplarité d'une
figure morale.

Dans l'histoire de la tragédie, les mères n'occu-
pent pas une place essentielle. C'est bien plus le
père, rival à affronter, ou les dieux qui déterminent
le destin des héros. Car c'est souvent avec la rigueur
de la loi et de l'autorité que naissent l'affrontement
et la tentative des personnages pour conquérir leur
propre identité. Dans *Prométhée enchaîné* d'Eschyle, le
héros livre une lutte contre Zeus au nom de l'humanité ; dans *Le Cid* de Corneille, Rodrigue se débat

entre l'obéissance à son père Don Diègue et son amour pour Chimène ; dans l'*Antigone* d'Anouilh réécrivant la pièce de Sophocle, l'héroïne, « *la maigre jeune fille noiraude et renfermée que personne ne prenait au sérieux dans la famille* », enfreint les règles de son oncle Créon pour donner une sépulture à son frère Polynice.

Il existe pourtant un tragique des mères qui interroge le lien d'amour et l'énigme des origines. Les textes qui suivent présentent une gamme de la passion maternelle qui va du désir de fusion, chez Sophocle ou Racine, jusqu'à l'inconscience, dans *Mère Courage* de Bertolt Brecht. À chaque fois, la mère fait entrer la mort sur la scène du théâtre, mettant en miroir la fatalité de la naissance et de la fin de la vie.

1.

La mère incestueuse

Au Vᵉ siècle avant J.-C., Sophocle écrit *Œdipe roi*, une histoire familiale terrifiante, qui nourrit depuis sa création une littérature prolifique. Peu après le mariage de Laïos et de Jocaste, un oracle de Delphes prédit aux jeunes époux que s'ils ont un fils, celui-ci amènera la ruine de la cité, tuera son père et que toute sa descendance périra dans le sang. Laïos et Jocaste négligent cet avertissement et un fils naît : Œdipe. Voulant néanmoins éviter l'accomplissement de l'oracle, ils abandonnent l'enfant qui sera élevé par Polybe, le roi de Corinthe, et par sa femme. Arrivé à l'âge adulte, Œdipe, qui a eu connaissance de la prédiction de l'oracle, quitte la cour de son père et se rend à Delphes pour connaître le secret de sa naissance. Sur la route, entre Delphes et Thèbes, Œdipe croise un homme avec lequel il se dispute et qu'il tue, sans savoir qu'il s'agit de Laïos. Aux abords de Thèbes, Œdipe rencontre le Sphinx qui sème la terreur dans la contrée. À chaque passant il propose une énigme à résoudre et dévore ceux qui n'y répondent pas. Œdipe trouve la solution de l'énigme et est accueilli à Thèbes en libérateur. Il épouse la reine, Jocaste, qui est aussi sa mère ; ils ont deux garçons, Étéocle et Polynice, et deux filles, Antigone et Ismène. Mais peu à peu la lumière se fait : Œdipe découvre que Polybe n'était pas son véritable père et qu'il a tué Laïos et épousé Jocaste, réalisant ainsi la prédiction de l'oracle.

La légende d'Œdipe est constamment redécouverte, en particulier à la fin du XIXe siècle. Elle est alors analysée dans une dimension psychanalytique. Freud se penche sur la pièce de Sophocle et écrit le 15 octobre 1897 à Fliess : « *J'ai trouvé en moi comme partout ailleurs des sentiments d'amour envers ma mère et de jalousie envers mon père, sentiments qui sont, je pense, communs à tous les jeunes enfants.* » Dans ses travaux, Freud mentionne *Œdipe roi* à plusieurs reprises et il s'interroge notamment sur l'effet de cette pièce sur le spectateur. Ses analyses concluent : « *Chaque auditeur fut un jour en germe, en imagination, un Œdipe et s'épouvante devant la réalisation de son rêve transposé dans la réalité, il frémit suivant toute la mesure du refoulement qui sépare son état infantile de son état actuel.* » S'élabore la notion de complexe d'Œdipe à laquelle la psychanalyse reste très attachée encore aujourd'hui.

SOPHOCLE (496-406 av. J.-C.)

Œdipe roi (v. 420 av. J.-C.)

(trad. Robert Pignarre, GF)

UN MESSAGER DU PALAIS : Très honorés notables de
ce pays, quel récit vous allez entendre, quel spectacle
vous allez contempler, quel deuil vous allez porter,
vous qui avez gardé votre loyal amour à la maison des
Labdacides. Je ne crois pas que l'Ister ni le Phase eussent assez d'eau pour purifier cette demeure de tout
ce qu'elle recèle. Et bientôt vont paraître au grand
jour de nouvelles horreurs, et volontairement perpé-
trées, cette fois. Or il n'est peines plus amères que
celles que l'on a voulues.

LE CHŒUR : Celles que nous connaissions ne sont pas,
il s'en faut, indignes des plus profonds gémissements.
Qu'y vas-tu ajouter de surcroît ?

LE MESSAGER DU PALAIS : Pour vous l'apprendre d'un
mot, elle est morte, Jocaste, notre reine vénérée !

LE CHŒUR : L'infortunée ! Comment cela est-il arrivé ?

LE MESSAGER DU PALAIS : Elle s'est donné la mort. De
ce qui s'est passé, le plus horrible vous est épargné ;
vos yeux n'ont point vu. Cependant, autant que ma
mémoire saura le retracer, apprenez le supplice de la
malheureuse. Folle d'horreur, elle avait traversé le
vestibule et couru jusqu'à sa chambre en s'arrachant
les cheveux par poignées. Elle entre, repousse violemment les ventaux derrière elle ; elle appelle Laïos, son
défunt époux ; elle se remémore le passé, cette se-
mence dont il devait périr et qui la ferait mère d'une
progéniture souillée. L'infortunée gémissait sur ce lit
où elle avait conçu tour à tour un mari de son mari et
des enfants de son enfant. Comment elle est morte, je
ne le sais pas au juste, car Œdipe se précipitait en
hurlant et ce n'est plus elle, dès lors, c'est lui dont le
désespoir a captivé nos regards. Il court çà et là, nous

demande une épée ; il veut savoir où il trouvera sa femme, ou plutôt, hélas, sa mère, sa mère qui le porta, et qu'il a fécondée ! Au milieu de ses fureurs, quelque dieu sans doute la lui découvre, car aucun de nous n'intervint. Poussant des cris effrayants, et comme si quelqu'un le guidait, il s'élance vers la porte, il en pousse les battants, fait irruption dans la chambre, et nous aperçûmes sa femme pendue à une écharpe dont le nœud lui serrait la gorge. À cette vue, avec des rugissements horribles, le malheureux prince défait le nœud, et le cadavre s'affaisse. C'était affreux à voir, mais ce qui suivit nous terrifia. Œdipe arrache les épingles dorées qui ornaient le vêtement de la morte, il les porte à ses paupières, il en frappe les globes de ses yeux. Et il crie que ses yeux ne verront plus sa misère et ne verront plus son crime et que la nuit leur dérobera ceux qu'il ne veut plus reconnaître. Tout en exhalant ces plaintes, il soulevait ses paupières et frappait, frappait sans relâche... Le sang jailli des prunelles coulait sur son menton ; cela ne sortait pas goutte à goutte, non, mais ruisselait en pluie noire, en grêle de caillots sanguinolents. Et c'est leur œuvre à tous les deux qui éclate, non le malheur d'un seul, mais les maux emmêlés des époux ! Leur ancienne prospérité, à bon droit l'appelait-on prospérité. Aujourd'hui, affliction, égarement, mort, honte, de tous les maux qui ont un nom, pas un ne manque à l'appel.

(Dernier épisode)

Le mythe de Phèdre décline également les relations incestueuses. Lorsque Thésée, le roi d'Athènes, épouse Phèdre, il a déjà un fils d'une autre femme : Hippolyte. Phèdre tombe amoureuse de son beau-fils. Elle cache d'abord à tous son amour puis l'avoue à Hippolyte qui la repousse violemment. De peur qu'il ne la dénonce à Thésée, Phèdre accuse son beau-fils d'avoir voulu la violer. Sans plus d'enquête, Thésée appelle sur son fils la malédiction de Poséidon, le dieu de la mer, qui le fait périr. À la nouvelle de la mort d'Hippolyte, Phèdre se suicide.

Dans le *Phèdre* de Racine, dès l'exposition de la pièce, dans les deux premières scènes, Hippolyte et Œnone évoquent le trouble mystérieux qui fait mourir Phèdre encore absente de l'espace théâtral. Dans la scène 3, Œnone arrache à Phèdre l'aveu de son amour interdit pour le fils de Thésée, son époux. C'est une passion brûlante qui dévore Phèdre ; l'héroïne décrit à sa suivante cet amour qui la consume véritablement comme un mal qu'aucun remède ne peut même apaiser. Racine fait un tableau clinique de cette affection : l'amour de Phèdre est une véritable maladie, ce que le XVIIe nomme la mélancolie érotique, comportant des symptômes qui touchent à la fois son esprit et son corps. Mais Racine crée surtout un personnage qui refuse de prendre son destin en main et qui rejette la fatalité sur des causes externes (les dieux notamment). Phèdre s'aveugle car elle est seule responsable de son destin tragique.

Jean RACINE (1639-1699)

Phèdre (1677)

(Folio théâtre n° 23)

ŒNONE

Aimez-vous ?

PHÈDRE

De l'amour j'ai toutes les fureurs.

ŒNONE

Pour qui ?

PHÈDRE

Tu vas ouïr le comble des horreurs.
J'aime... à ce nom fatal je tremble, je frissonne.
J'aime...

ŒNONE

Qui ?

PHÈDRE

Tu connais ce fils de l'Amazone,
Ce prince si longtemps par moi même opprimé.

ŒNONE

Hippolyte ! Grands Dieux !

PHÈDRE

C'est toi qui l'as nommé.

ŒNONE

Juste ciel ! tout mon sang dans mes veines
[se glace.
Ô désespoir ! Ô crime ! Ô déplorable race !
Voyage infortuné ! Rivage malheureux !
Fallait-il approcher de tes bords dangereux ?

PHÈDRE

Mon mal vient de plus loin. À peine au fils d'Égée
Sous les lois de l'hymen je m'étais engagée,
Mon repos, mon bonheur semblait bien affermi,
Athènes me montra mon superbe ennemi.
Je le vis, je rougis, je pâlis à sa vue.
Un trouble s'éleva dans mon âme éperdue.
Mes yeux ne voyaient plus, je ne pouvais parler,
Je sentis tout mon corps et transir, et brûler.
Je reconnus Vénus, et ses feux redoutables,
D'un sang qu'elle poursuit tourments inévitables.
Par des vœux assidus je crus les détourner,
Je lui bâtis un temple, et pris soin de l'orner.
De victimes moi-même à toute heure entourée,
Je cherchais dans leurs flancs ma raison égarée,

D'un incurable amour remèdes impuissants !
En vain sur les autels ma main brûlait l'encens,
Quand ma bouche implorait le nom de la déesse,
J'adorais Hippolyte, et le voyant sans cesse,
Même au pied des autels que je faisais fumer,
J'offrais tout à ce dieu, que je n'osais nommer.
Je l'évitais partout. Ô comble de misère !
Mes yeux le retrouvaient dans les traits
                           [de son père.
Contre moi-même enfin j'osai me révolter.
J'excitai mon courage à le persécuter.
Pour bannir l'ennemi dont j'étais idolâtre,
J'affectai les chagrins d'une injuste marâtre,
Je pressai son exil, et mes cris éternels
L'arrachèrent du sein, et des bras paternels.
Je respirais, Œnone ; et depuis son absence
Mes jours moins agités coulaient dans
                              [l'innocence.
Soumise à mon époux, et cachant mes ennuis,
De son fatal hymen je cultivais les fruits.
Vaines précautions ! Cruelle destinée !
Par mon époux lui-même à Trézène amenée
J'ai revu l'ennemi que j'avais éloigné.
Ma blessure trop vive aussitôt a saigné.
Ce n'est plus une ardeur dans mes veines cachée ;
C'est Vénus tout entière à sa proie attachée.
J'ai conçu pour mon crime une juste terreur.
J'ai pris la vie en haine, et ma flamme en horreur.
Je voulais en mourant prendre soin de ma gloire,
Et dérober au jour une flamme si noire.
Je n'ai pu soutenir tes larmes, tes combats.
Je t'ai tout avoué, je ne m'en repens pas,
Pourvu que de ma mort respectant les approches
Tu ne m'affliges plus par d'injustes reproches,
Et que tes vains secours cessent de rappeler
Un reste de chaleur, tout prêt à s'exhaler.

(Acte I, scène 3)

2.

La mère infanticide

L'histoire mythologique nous offre un exemple de mère qui apporte la mort d'une façon encore bien plus cruelle que la mère incestueuse. Dans la légende antique, Médée aide Jason à s'emparer de la Toison d'or. Pour cela, elle trahit son père et sa patrie et égorge son frère Apsyrtos. Elle disperse les morceaux de son corps sur la plage pour ralentir la poursuite de son père qui chaque fois doit s'arrêter pour ramasser les débris du cadavre. Tel fut l'« *apprentissage* » (vers 250) de Médée. Jason et Médée rapportent la Toison à Ioclos, en Thessalie. Après quelques années, ils sont obligés de se réfugier à Corinthe où Jason rencontre Creüse, la fille du roi Créon, qu'il veut épouser. Il répudie sa femme Médée qui se venge en envoyant à sa rivale une tunique empoisonnée et en tuant ses propres enfants. Puis elle s'enfuit dans un char envoyé par le Soleil, son aïeul.

Le sujet de la pièce de Corneille est d'une violence extrême. Les enfants de Médée sont les êtres qui lui sont le plus chers au monde ; mais elle décide de les faire périr. La tragédie, qui met en présence des êtres proches, d'une même famille, est considérée au XVIIe comme du plus haut tragique et Corneille renchérit en horreur en montrant sur la scène la mort de Creüse, celle de Créon, ainsi que Jason qui se perce de son épée. Corneille ensanglante la scène tragique malgré les recommandations de bienséance. Il dresse l'image d'une mère noire à la violence fantasmatique destinée à porter au comble l'effroi du spectateur.

Pierre CORNEILLE (1606-1684)

Médée (1635)

(Droz)

MÉDÉE

Souverains protecteurs des lois de l'Hyménée,
Dieux, garants de la foi que Jason m'a donnée,
Vous qu'il prit à témoin d'une immortelle ardeur,
Quand par un faux serment il vainquit ma pudeur,
Voyez de quel mépris vous traite son parjure,
Et m'aidez à venger cette commune injure ;
S'il me peut aujourd'hui chasser impunément,
Vous êtes sans pouvoir, ou sans ressentiment.
        Et vous, troupe savante en mille barbaries,
Filles de l'Achéron[1], Pestes, Larves, Furies,
Noires Sœurs, si jamais notre commerce étroit
Sur vous et vos serpents me donna quelque droit,
Sortez de vos cachots avec les mêmes flammes
Et les mêmes tourments dont vous gênez les âmes.
Laissez-les quelque temps reposer dans leurs fers,
Pour mieux agir pour moi faites trêve aux Enfers,
Et m'apportez du fond des antres de Mégère
La mort de ma rivale et celle de son père,
Et si vous ne voulez servir mal mon courroux
Quelque chose de pis pour mon perfide époux.
Qu'il coure vagabond de Province en Province,
Qu'il fasse lâchement la Cour à chaque Prince,
Banni de tous côtés, sans biens, et sans appui
Accablé de frayeur, de misère, d'ennui,
Qu'à ses plus grands malheurs aucun ne compatisse,
Qu'il ait regret à moi pour son dernier supplice,
Et que mon souvenir jusque dans le tombeau
Attache à son esprit un éternel bourreau.

---

1. L'Achéron est un fleuve des Enfers, dieu et père redoutable
des Pestes, des Larves et des Furies, qui sont les âmes des méchants
n'ayant pas trouvé le repos après la mort. Mégère est une des filles
d'Achéron, couronnées par des serpents.

Jason me répudie ! et qui l'aurait pu croire ?
S'il a manqué d'amour manque-t-il de mémoire ?
Me peut-il bien quitter après tant de bienfaits ?
M'ose-t-il bien quitter après tant de forfaits ?
Sachant ce que je puis, ayant vu ce que j'ose,
Croit-il que m'offenser ce soit si peu de chose ?
Quoi ! mon père trahi, les éléments forcés,
D'un frère dans la mer les membres dispersés,
Lui font-il présumer mon audace épuisée ?
Lui font-il présumer que ma puissance usée,
Ma rage contre lui n'ait par où s'assouvir,
Et que tout mon pouvoir se borne à le servir ?
Tu t'abuses, Jason, je suis encor moi-même,
Tout ce qu'en ta faveur fit mon amour extrême
Je le ferai par haine, et je veux pour le moins
Qu'un forfait nous sépare ainsi qu'il nous a joints ;
Que mon sanglant divorce en meurtres, en carnage,
S'égale aux premiers jours de notre mariage,
Et que notre union, que rompt ton changement,
Trouve une fin pareille à son commencement.
Déchirer par morceaux l'enfant aux yeux du père,
N'est que le moindre effet qui suivra ma colère.
Des crimes si légers furent mes coups d'essai,
Il faut bien autrement montrer ce que je sais,
Il faut faire un chef-d'œuvre, et qu'un dernier ouvrage
Surpasse de bien loin ce faible apprentissage
Mais pour exécuter tout ce que j'entreprends
Quels Dieux me fourniront des secours assez grands ?
Ce n'est plus vous, Enfers, qu'ici je sollicite,
Vos feux sont impuissants pour ce que je médite.
Auteurs de ma naissance, aussi bien que du jour
Qu'à regret tu dépars à ce fatal séjour,
Soleil, qui vois l'affront qu'on va faire à ta race,
Donne-moi tes chevaux à conduire en ta place,
Accorde cette grâce à mon désir bouillant.
Je veux choir sur Corinthe avec ton char brûlant.
Mais ne crains pas de chute à l'univers funeste,
Corinthe consommée affranchira le reste,
Mon erreur volontaire ajustée à mes vœux

Arrêtera sur elle un déluge de feux,
Créon en est le Prince, et prend Jason pour gendre,
Il faut l'ensevelir dessous sa propre cendre,
Et brûler son pays, si bien qu'à l'avenir
L'isthme n'empêche plus les deux mers de s'unir.

(Acte I, scène 4)

3.

La mère détestée, le matricide

Clytemnestre, mariée de force à Agamemnon qu'elle déteste, tue son époux avec l'aide de son amant Égisthe. Elle dissimule le meurtre à son fils Oreste, qu'elle chasse du pays, et à sa fille Électre. Après vingt ans d'exil, Oreste revient au palais d'Argos, et la lumière se fait sur le meurtre d'Agamemnon. Électre, après avoir mené une enquête et démasqué les meurtriers, révèle à son frère la vérité sur le meurtre de leur père. Oreste venge son père en tuant sa mère et Égisthe.

Giraudoux reprend pour écrire cette pièce de nombreux éléments de la mythologie grecque ; mais il prend soin toujours d'établir une distance entre les sources antiques et sa pièce et constamment travaille à annuler la tonalité tragique : Clytemnestre est comparée à une bête que l'on égorge ; Oreste ne mesure pas la dimension tragique de son acte et croit tuer une mère innocente ; Égisthe pense à Électre qu'il aime secrètement et essaie de se débarrasser du corps sans vie de Clytemnestre qui l'encombre. Le récit du meurtre par le mendiant rappelle tous les récits de meurtre rapportés par des messagers que la bienséance empê-

chait de représenter sur scène, par exemple dans
Œdipe roi. La pièce fortement teintée de dérision pro-
cède d'un mélange dissonant entre tragédie et paro-
die. À la fin de l'extrait, l'artifice théâtral est dénoncé
et le pathétique de la scène évacué : on entend la voix
d'Égisthe même après sa mort.

Jean GIRAUDOUX (1882-1944)

Électre (1937)

(Grasset)

LE MENDIANT : Alors voici la fin. La femme Narsès et
les mendiants délièrent Oreste. Il se précipita à travers la cour. Il ne toucha même pas, il n'embrassa
même pas Électre. Il a eu tort. Il ne la touchera jamais plus. Et il atteignit les assassins comme ils parle-
mentaient avec l'émeute, de la niche en marbre. Et
comme Égisthe penché disait aux meneurs que tout
allait bien, et que tout désormais irait bien, il entendit
crier dans son dos une bête qu'on saignait. Et ce
n'était pas une bête qui criait, c'était Clytemnestre.
Mais on la saignait. Son fils la saignait. Il avait frappé
au hasard sur le couple, en fermant les yeux. Mais
tout est sensible et mortel dans une mère même indigne. Et elle n'appelait ni Électre, ni Oreste, mais sa
dernière fille Chrysothémis, si bien qu'Oreste avait
l'impression que c'était une autre mère, une mère innocente qu'il tuait. Et elle se cramponnait au bras
droit d'Égisthe. Elle avait raison, c'était sa seule
chance désormais dans la vie de se tenir un peu debout. Mais elle empêchait Égisthe de dégainer. Il la
secouait pour reprendre son bras, rien à faire. Et elle
était trop lourde aussi pour servir de bouclier. Et il y
avait encore cet oiseau qui le giflait de ses ailes et l'at-
taquait du bec. Alors il lutta. Du seul bras gauche,
sans armes, une reine morte au bras droit avec des

colliers et pendentifs, désespéré de mourir en criminel quand tout de lui était devenu pur et sacré, de
combattre pour un crime qui n'était plus le sien et,
dans tant de loyauté et d'innocence, de se trouver
l'infâme en face de ce parricide, il lutta de sa main
que l'épée découpait peu à peu, mais le lacet de sa
cuirasse se prit dans une agrafe de Clytemnestre, et
elle s'ouvrit. Alors il ne résista plus, il secouait simplement son bras droit, et l'on sentait que s'il voulait
maintenant se débarrasser de la reine, ce n'était plus
pour combattre seul, mais pour mourir seul, pour
être couché dans la mort loin de Clytemnestre. Et il
n'y est pas parvenu. Et il y a pour l'éternité un couple
Clytemnestre-Égisthe. Mais il est mort en criant un
nom que je ne dirai pas.

LA VOIX D'ÉGISTHE, *au-dehors* : Électre…

LE MENDIANT : J'ai raconté trop vite. Il me rattrape.

(Acte II, scène 9)

4.

La mère aveugle

Une des dernières grandes figures de mère tragique nous vient du dramaturge Bertolt Brecht. Sa
pièce *Mère Courage et ses enfants* est composée de douze
tableaux qui sont une chronique dramatique de la
guerre de Trente Ans. Mère Courage traîne sa roulotte
de champ de bataille en champ de bataille ; elle fait
commerce de la guerre mais la guerre lui prend peu à
peu tous ses enfants. La mère compte, rogne, discute
pour parvenir à rouler ceux qui sont plus faibles
qu'elle. Dans le troisième tableau, Mère Courage est
prisonnière avec son fils Petitsuisse, sa fille Catherine
et les restes d'un régiment finnois. Petitsuisse se fait ar-

rêter par le sergent-chef du camp : il est accusé d'avoir dérobé la caisse du régiment. Mère Courage marchande la libération de son fils par l'intermédiaire d'une vieille paysanne, Yvette. La Mère ne sauve pas son fils mais conserve sa roulotte et sauve sa fille. La Mère ne s'enrichit pas dans la pièce, elle subit la guerre sans rien comprendre ; elle ignore son propre pouvoir de faire cesser son malheur et croit aveuglément en la fatalité de la guerre. Pour Brecht, le spectateur qui ressent cet aveuglement doit devenir lucide et prendre en main sa révolte dans ces années qui précèdent la Seconde Guerre mondiale.

Bertolt BRECHT (1898-1956)

Mère Courage et ses enfants (1937-1938)

(trad. Guillevic, L'Arche)

YVETTE : Ils ne marcheront pas. Le borgne est très pressé. Il a les nerfs en boule. Tu ne crois pas qu'il vaudrait mieux donner deux cents florins ?
COURAGE : Je ne peux pas. J'ai travaillé trente ans. Cette fille-là en a vingt-cinq et elle n'a pas de mari. C'est une enfant à moi, elle aussi. N'insiste pas. Je sais ce que je fais. Dis-leur que c'est cent vingt ou rien.
YVETTE : Ça vous regarde !

> *Elle sort rapidement. La Mère Courage ne regarde ni l'aumônier ni Catherine, puis elle s'assied pour aider Catherine à nettoyer les couteaux.*

COURAGE : Ne cassez pas les verres. Ils ne sont plus à nous. Regarde ce que tu fais, tu vas te couper. Petit-suisse reviendra. J'irai jusqu'à deux cents s'il le faut.

Tu le retrouveras, ton frère. Avec quatre-vingts florins on pourrait encore bourrer la hotte de bonnes marchandises. Et repartir à zéro. Tant qu'il y a de la vie, il y a de l'espoir.

L'AUMÔNIER : Il est écrit : les voies du Seigneur ne sont pas nos voies.

COURAGE : Essuyez-les, que ça brille.

> *Ils nettoient en silence. Catherine s'enfuit soudain dans la carriole en sanglotant.*

YVETTE, *revient en courant* : Ils ne marchent pas, je vous l'avais bien dit. Le borgne voulait tout laisser tomber. Il a dit que c'était trop tard maintenant, qu'on allait entendre d'une minute à l'autre les tambours du peloton d'exécution. J'ai offert cent cinquante florins, son œil est resté fixe. J'ai eu toutes les peines du monde à le persuader d'attendre mon retour.

COURAGE : Dis-lui que je donne les deux cents florins, cours vite. *(Yvette part en courant. Ils restent assis en silence.)* Je crois que j'ai marchandé trop longtemps.

> *On entend les tambours au loin. L'aumônier se lève et va vers le fond. La Mère Courage reste assise. Noir. Le tambour cesse. Le jour revient. La Mère Courage n'a pas bougé de place.*

YVETTE, *surgit très pâle* : Vous l'avez réussi, votre marchandage : vous gardez la roulotte, lui, il a onze balles dans la peau. Vous ne méritez pas que je vous aide encore. Mais je les ai entendus : ils sont convaincus que la caisse est ici. Ils disent que vous étiez tous de mèche avec Petitsuisse, et ils vont vous l'amener. Tâchez de ne pas vous trahir en le voyant, ou vous y passerez tous. Ils me suivent de près, vous voilà avertis. Voulez-vous que j'emmène Catherine ? *(Mère Courage secoue la tête.)*

Elle sait ? Peut-être qu'elle n'a pas entendu les tambours ou qu'elle n'a pas compris.

COURAGE : Elle sait. Va la chercher.

> *Yvette va chercher Catherine qui se place à côté de sa mère et ne bouge plus. La Mère Courage la prend par la main. Deux valets de ferme entrent, portant une civière où un corps est étendu sous une bâche. Les sergents marchent à côté. Ils déposent la civière.*

LE SERGENT-CHEF : On ne sait pas son nom à celui-là. Il faudrait pouvoir l'inscrire pour que tout soit en règle. Il a passé chez toi. Il a pris un repas. Regarde si tu le connais. *(Il retire la bâche.)* Non ? Tu ne l'avais jamais vu avant qu'il ne vienne manger chez toi ? *(Mère Courage secoue la tête encore une fois.)* Enlevez ! Et foutez-moi ça à la fosse commune. Personne ne le connaît.

> *Ils l'enlèvent.*

(Fin du troisième tableau)

Chronologie

Racine et son temps

1.

Enfance et éducation d'un homme de théâtre

Jean Racine naît en 1639. Alors qu'il est encore très jeune, son père et sa mère décèdent. Il est élevé par sa grand-mère, qui le place à l'âge de dix ans à l'abbaye de Port-Royal-des-Champs, où il fera ses classes à titre gracieux. Il suit une éducation rigoureuse, dispensée par ceux que les jansénistes appelleront « *la secte des hellénistes de Port-Royal* », avant d'entrer au Collège d'Harcourt.

> 1634 La France s'engage dans la guerre de Trente Ans. Fondation de l'Académie française.
> 1643 Louis XIII meurt, un an après Richelieu. Pendant dix-huit ans, Anne d'Autriche règne, secondée par Mazarin.
> 1644 Descartes, *Principes de la philosophie.*
> 1647 Vaugelas, *Remarques sur la langue française.*

1648 Traités de Westphalie qui mettent fin à la guerre de Trente Ans.
1648-1652 La Fronde.
1651 Corneille, *Nicomède*. Hobbes, *Le Léviathan*.

Racine a seize ans lorsqu'il rédige ses premiers poèmes en vers latins. Il annote les *Vies parallèles* de Plutarque, résume des passages de Tacite et de Quintilien et approfondit ses connaissances en grec, ce qui lui permettra, quelques années plus tard, d'annoter également les *Olympiques* de Pindare et l'*Odyssée* d'Homère. Il compose des odes de circonstance (*Les Promenades de Port-Royal-des-Champs*, 1657) et des sonnets. En 1661, il écrit un poème mythologique et galant, *Les Bains de Vénus*, dont Ovide doit être le héros ; il n'en reste plus trace. La même année, il rompt avec Port-Royal. Sa première tragédie, *Amasie*, aujourd'hui perdue, date de 1660. Il la présente à Charles Perrault puis aux acteurs du Marais et notamment à La Roque.

1656 Vélasquez, *Les Ménines*. Pascal, *Lettres à un provincial*.
1659 Traité des Pyrénées qui met fin à la guerre entre la France et l'Espagne. Molière écrit *Les Précieuses ridicules*, et Corneille, *Œdipe*.
1660 Louis XIV épouse Marie-Thérèse, infante d'Espagne.
1661 Mort de Mazarin et début du règne personnel de Louis XIV. Colbert devient ministre. Début du remaniement du château de Versailles par Le Vau et Le Nôtre.
1662 Molière, *L'École des femmes*. Bossuet, *Sermon sur la mort*. Mort de Pascal.

2.

Racine tragédien

En 1663, grâce à la *Thébaïde* et à son *Ode sur la convalescence du roi*, Racine reçoit des gratifications du roi qui lancent sa carrière. Il rencontre Nicolas Boileau, et publie également une nouvelle ode, *La Renommée aux Muses*. Deux ans plus tard, Racine présente sa nouvelle tragédie, *Alexandre le Grand*, à Monsieur, frère du roi, Henriette Anne d'Angleterre et le Grand Condé. La pièce connaît un beau succès. Les grands comédiens de l'Hôtel de Bourgogne interprètent les pièces de Racine devant un public choisi. Bientôt ses tragédies sont jouées sur les deux théâtres de Paris. À ce moment clé de sa carrière, Racine rompt toute relation avec Molière et entame une liaison avec la Du Parc, comédienne qui jouera *Andromaque* devant la cour. Le succès de la pièce est considérable ; le comédien Montfleury meurt d'épuisement en jouant Oreste. La pièce sera publiée l'année suivante. Racine va enchaîner les succès durant plusieurs années : *Bérénice* (1670), *Bajazet* (1672), *Mithridate* (1673), *Iphigénie en Aulide* (1674). Le roi lui offre la charge de trésorier général de France. En 1675, première édition en deux volumes du théâtre de Racine sous le titre *Œuvres complètes*. La première représentation de *Phèdre et Hippolyte* a lieu à l'Hôtel de Bourgogne en 1677. Louis XIV charge Racine et Boileau d'être ses historiographes, ce qui implique de renoncer à toute activité poétique.

1664 Molière, *Tartuffe*. La Rochefoucauld, *Maximes*. Condamnation de Fouquet à la prison à perpétuité.

1665 Molière, *Dom Juan*. Vermeer peint *La Dentellière*.

1666 Mort de la reine mère Anne d'Autriche. Molière, *Le Misanthrope*.

1667-1668 Guerre de Dévolution. Rattachement de la Flandre à la France.

1668-1694 Jean de La Fontaine, *Fables*.

1670 Blaise Pascal, *Pensées*. Corneille, *Tite et Bérénice*.

1673 Mort de Molière.

1674 Nicolas Boileau, *Art poétique*. Corneille, *Suréna*.

1676 Libéral Bruant : construction de l'Hôtel des Invalides.

1676-1682 Construction de la machine de Marly destinée à ravitailler en eau le château de Versailles.

3.

Une longue pause dans la carrière du tragédien

Racine est violemment attaqué après la représentation de *Phèdre*. Il décide d'abandonner la scène et se consacre à sa nouvelle charge d'historiographe du roi. Il se réconcilie avec les jansénistes. En 1680, Racine retrouve la voie du théâtre : *Phèdre* est représentée en l'honneur de la Dauphine qui fait son entrée dans le royaume, puis programmée à la Comédie-Française, et à sa suite toutes les pièces profanes du dramaturge. Ses pièces sont partout représentées, mais désormais Racine cesse d'écrire des tragédies. Avec Boileau, il suit le roi et l'armée en

Alsace. À la demande de Madame de Montespan, les deux auteurs composent un opéra pour le carnaval de la cour.

1678 Paix de Nimègue qui met fin à la guerre contre la Hollande. La Franche-Comté est rattachée à la France. Agrandissement du château de Versailles. Madame de La Fayette, *La Princesse de Clèves*.
1682 Installation définitive du roi à Versailles.
1683 Mort de Jean-Baptiste Colbert, protecteur de Jean Racine. Mariage secret du roi avec Madame de Maintenon.
1684 Mort de Pierre Corneille.
1685 Révocation de l'Édit de Nantes.
1687 Début de la querelle des Anciens et des Modernes.

4.

La rédaction et la représentation des pièces religieuses

En 1689, Racine revient au théâtre et à la littérature ; il compose deux pièces bibliques, *Athalie* et *Esther*, ainsi que des cantiques religieux. D'inspiration chrétienne, ces nouvelles pièces sont destinées à l'institution de Saint-Cyr, une maison ouverte aux jeunes filles, fondée en 1686 par la dévote Madame de Maintenon. Si *Esther* remporte une totale adhésion, *Athalie* déplaît à Madame de Maintenon, qui en interdit la représentation à Saint-Cyr. La pièce sera pourtant jouée à la cour devant le roi. En 1692, Racine est désigné chancelier de l'Académie française pour plusieurs années. Il commence à rédiger l'*Abrégé de l'histoire de Port-Royal,* qui restera inachevé. Le 21 avril 1699, Jean Racine meurt. Après un service religieux à Saint-Sulpice, il est inhumé à Port-Royal.

1688 Première édition des *Caractères* de Jean de La Bruyère.
1688-1697 Guerre de la Ligue d'Augsbourg. Glorieuse Révolution en Angleterre.
1689 Naissance de Montesquieu.
1693-1694 Grande famine.
1694 Dictionnaire de l'Académie française. Saint-Simon débute la rédaction des *Mémoires.*
1695 Mort de Jean de La Fontaine.
1699 Fénelon, *Les Aventures de Télémaque.*

Éléments pour une
fiche de lecture

Regarder le tableau

- Selon quelle ligne de force le tableau est-il organisé ? Quelle impression donne-t-elle au spectateur ? Comment invite-t-elle à regarder le tableau ?
- Selon vous, quelles sont les dimensions du tableau ?
- Imaginez que vous deviez accrocher *Andromaque* chez vous. Que choisiriez-vous de voir à la hauteur de vos yeux ?
- Les personnages sont organisés soit sur une ligne horizontale, soit sur une ligne verticale : qui est debout, qui est couché ?
- Quelles sont les couleurs dominantes du tableau ? Où sont les zones d'ombre, les zones de lumière ?

Sur le paratexte

Dans l'édition des *Œuvres complètes* de Racine, figure au début d'*Andromaque* une gravure appelée frontispice, réalisée par François Chauveau (vous le trouverez dans l'édition de la Pléiade, p. 296, ou sur internet en consultant le site de la Comédie-Française : comedie-francaise. fr).

- Quel est le décor de la scène ?
- Quels sont les personnages représentés ?

- Quelles sont leurs attitudes ? et que signifient-elles ?
- Que pensez-vous de la présence de l'enfant sur la scène ?
- Quelle interprétation l'image donne-t-elle de la pièce ?

Sur les personnages

Vous élaborerez un tableau récapitulant la présence des personnages sur scène et le nombre de vers qu'ils prononcent.

- Quel est le personnage le plus présent durant les cinq actes ?
- Tous les personnages se rencontrent-ils ?
- Pourquoi Andromaque est-elle absente de l'acte II et de l'acte V ?
- Quelle importance ont les confidents ?
- Où se situent les monologues ; ont-ils chaque fois la même fonction ; comment participent-ils aux progrès de l'intrigue ?
- Comment comprenez-vous l'absence sur scène d'Astyanax ?
- Bien que mort, quel rôle joue Hector dans la tragédie ?

Sur le langage de la passion

- À partir du monologue d'Hermione à la scène 1 de l'acte V : comment se traduit le désarroi d'Hermione ? Quels sont les sentiments qui l'animent ? Comment les exprime-t-elle ? Pourquoi la dernière phrase du monologue n'est-elle pas achevée ? Ce type d'interruption du discours existe-t-il ailleurs dans la pièce ?

- À partir de la scène 5 de l'acte V : comment la folie envahit-elle la parole d'Oreste ? Quelle est la fonction des hyperboles ? Quelles sont les images qui surgissent ? Quel est ici le symbolisme des serpents ? Quel effet sonore produit le vers 1638 ?

Sujet de réflexion

- « Dois-je oublier… », se demande Andromaque au vers 993. En quoi cette interrogation pose-t-elle dans la pièce le problème du devoir de mémoire ?

Éléments de comparaison

Dans *Les Fleurs du mal* (1857), Baudelaire dédicace un poème à Victor Hugo intitulé « Le Cygne ». Il évoque Andromaque en même temps que le souvenir d'un cygne vu dans une ménagerie du Carrousel, à Paris.

- Vous montrerez comment Baudelaire rapproche l'histoire d'Andromaque et l'image du cygne. De quoi la Troyenne et l'animal sont-ils les représentations ?
- Au début du poème, Baudelaire associe Andromaque à un miroir. Vous direz d'où vient cette image et ce qu'elle signifie.

Georges Fourest fait paraître en 1909 un poème inspiré de la tragédie d'*Andromaque* (Édition José Corti) :

> Andromaque
> … il n'ira jamais plus loin qu'« Andromaque »
> Mme de Sévigné
>
> Ayant mis sa culotte neuve,
> ses gants blancs et son frac aussi,

Pyrrhus vient chez madame veuve
Andromaque et lui dit ceci :

« — Madame, je suis ce qu'on nomme
« en tous lieux un parti charmant :
« poli, rangé, doux, économe,
« sobre, assez bien physiquement ;

« bachelier, très homme du monde,
« en mes propos toujours décent ;
« la fortune ? solide et ronde :
« toute immeubles et trois pour cent ;

« on vante mes façons amènes ;
« trop propre, jamais un faux col
« ne me fait plus de trois semaines ;
« pas joueur, et, quant à l'alcool,

« je n'aime que la camomille !
« Chacun sait (dans le monde entier)
« que je suis de bonne famille
« et, de plus, roi de mon métier,

« prince de toutes les Épires,
« ville, champs, banlieue et faubourg :
« eh ! eh ! mon sort n'est pas des pires
« (excusez ce vieux calembour !).

« Dans ces conditions, madame,
« j'ose demander votre main :
« vous me l'accordez ? Oui ? Bédame !
« sans attendre jusqu'à demain

« et sans chercher plus de mystère,
« voulez-vous accepter mon bras
« et nous trotter chez mon notaire
« pour signer nos petits contrats ?

« Nous serons un couple modèle :
« mais ne me faites pas cocu,
« ou mordieu ! petite infidèle,
« nous saurons vous botter le cul ! »

Alors roulant des yeux d'hyène,
Comme prise d'un vertigo :
« — Jour de Dieu !, rugit la Troyenne,
« oser me parler conjungo,

« à moi, la veuve inconsolable
« d'Hector, ce héros des héros,
« près de qui (ce n'est une fable !)
« tous les héros sont des zéros

« et qu'un jour, les marchands de cartes
« nommeront valet de carreau !
« Eh ! mais ! je crois que tu t'écartes
« Du respect ! T'épouser, maraud !

« L'ami, pour couver cette idée,
« c'est-il pas que vous êtes bu ?
« Vous ne m'avez pas regardée !
« "Merdre !" dirait le père Ubu !

« — Ah !, reprend Pyrrhus en colère,
« oui-da ! la belle, c'est ainsi !
« Vous m'envoyez faire lanlaire,
« carogne, eh bien ! oyez ceci :

« vous avez un môme, un bel ange
« que jusqu'ici j'ai supporté,
« bien qu'il piaille, gâte son lange
« et pisse avec fétidité ;

« eh bien ! vous, madame sa mère,
« — écoutez bien encore un coup ! —
« suivez-moi chez monsieur le maire
« ou, demain, je lui tords le cou !... »

Mais ici, ma foi, ça s'embrouille
(justement, c'était le plus beau !)
attendez... la dame a la trouille...
et va... consulter un tombeau...

Hermione... Pylade... Oreste...
fureurs... et zut ! acheter sous

l'Odéon, pour savoir le reste,
un Racine à trente-cinq sous !…

- Comment s'expriment Andromaque et Pyrrhus ? Correspondent-ils aux héros de Racine ? Quel est selon vous leur milieu social d'origine ?
- Quel effet crée l'inachèvement du récit ?
- Pour écrire sa pièce, Racine utilise l'alexandrin, quel est le vers employé ici et pourquoi ?
- Sur quel procédé stylistique repose l'écriture du poème ?

Pour connaître l'ensemble des titres disponibles
en Folioplus classiques, rendez-vous sur le site
www.gallimard.fr

Composition Nord Compo
Impression Novoprint
le 25 octobre 2011
Dépôt légal : octobre 2011
1ᵉʳ dépôt légal dans la collection: novembre 2003
ISBN 978 -2-07-030467-7 ./ Imprimé en Espagne. ·

239234